Aromas mágicos

Adriana Magali

Aromas mágicos

Si usted desea que le mantengamos informado de nuestras publicaciones, sólo tiene que remitirnos su nombre y dirección, indicando qué temas le interesan, y gustosamente complaceremos su petición.

Ediciones Robinbook
información bibliográfica
apdo. 94085 - 08080 Barcelona
e-mail: info@robinbook.com

Visite nuestra
WEB

www.robinbook.com

Introducción

on suavidad, muy
lentamente, como abriéndose paso, temerosa en el recorrido, pero
segura de llegar a destino, una diminuta, casi imperceptible luz
avanza sin cesar a través de nuestras neuronas. Crece, poco a poco,
agrandando su brillo, mejorando sus matices que todavía no tienen
las características que le darán nombre. Mientras, los ojos se han
entornado suavemente, como dejándose llevar. Perdiendo su mirada hacia un horizonte no tan lejano en lo físico, pero infinito en el
recuerdo. La luz sigue. Ahora se expande y lo hace sin miedo, cada
vez con más fuerza, llegando, asentando, posicionando colores,
matices y gamas. Fuera, el rostro esboza una sonrisa en la cabeza

reclinada que se apoya con deleite a cada nuevo respirar, a cada nuevo impulso, a cada nueva fragancia.

El cuerpo se estremece y un escalofrío, punzante y eterno, recorre todo el tronco, penetrando en cada recodo a ritmo de tambores invisibles, percusión de un sentido olvidado que se recupera en un continente abandonado por momentos pero plagado de recuerdos. Una nueva inhalación y de nuevo, pletórica y exultante de vida, la luz, cual crisálida metamorfoseada con el poder que da la esperanza, es ya un arco iris. Nos abandonamos y volvemos a respirar. Saboreamos la inhalación con el alma porque el corazón está demasiado ocupado sintiendo y la mente muy atareada para ordenar los paisajes que se interponen unos con otros. El cuerpo se relaja embebiéndose del momento, caótico y perfecto a la vez. Y de nuevo, porque sentimos que falta el aire, volvemos a respirar el aroma, la esencia, el perfume, en definitiva, la vida.

Nacemos y al llegar al mundo un primer golpe de aire inundará los pulmones. Quizá percibamos un ahogo, las cosas han cambiado y debemos aprender a vivir de otra manera diferente de dentro del microcosmos que es la madre. Con ese primer aliento llegarán aromas y, con ellos, las primeras texturas, sabores y tal vez impactos mentales que se grabarán en nuestra mente. Simplemente por haber respirado, tan sólo porque un aroma nos invade sin pedir permiso.

Al paso de los días, el aroma del pecho de nuestra madre, sus manos, su cabello y tal vez el perfume de su cuerpo junto al nuestro, protegiéndonos en la inconsciencia de no saber dónde estamos, formarán un código indivisible que nos permitirá crear datos, todavía incomprensibles. Referentes que nos desvelarán cuál es el perfume de un beso, de una caricia, del amor, de la protección y la vida.

Con el tiempo, nos daremos cuenta de que el mal humor y las reprimendas también tienen un aroma especial. Al paso de los años, almacenaremos a cada nueva vivencia, encuentro, presentación, acierto o disgusto, más fragancias. Conoceremos el olor del miedo, de la incomprensión, de la soledad; registraremos la paz, la suerte y el éxito, pero nunca, o muy difícilmente, olvidaremos el efluvio de un primer beso, el olor de la magia de una noche de lluvia en que vivimos el amor, o el aula de aquella escuela a la que fuimos sin comprender y en la que entramos por primera vez.

El ser humano de hoy parece haber olvidado que tiene muchos más sentidos al margen del puramente visual, imperante sin lugar a dudas, en un mundo multimedia como el nuestro. Los sentidos y percepciones de antaño parecen dejar de ser importantes, como quedando relegados a un segundo plano de existencia.

Cada vez más, el tacto se percibe por la suavidad del teclado del portátil; el oído, por la claridad que manifiesta el móvil en espacios cerrados; la vista, por la nitidez de los televisores digitales de plasma; el gusto, por la perfección con que se puede imitar un caldo casero a través de un preparado en polvo, y el aroma queda limitado a los perfumes de moda. Sin embargo, cuando no tenemos prisas y nos podemos permitir el lujo de respirar con profundidad, de «oler», nos damos cuenta de que el día ha amanecido húmedo y que por la noche los árboles huelen diferente.

Cuando dejamos a un lado la mecánica, en este caso olfativa, tomamos conciencia de que hay algo más que los olores que llegan hasta nuestras fosas nasales, invadidas por microclimas cada vez más artificiales. En ese momento, percibimos que hay más matices que el puro «tufo» de un metro en hora punta, la «peste» de un túnel transitado a golpes de embotellamientos o el «golpe» de olor a tabaco que arremete contra nuestra persona al entrar en la casa de un fumador, incluso aunque sea la propia.

Hoy que los aromas parecen estar relegados a la pura mecánica estructural de los laboratorios químicos, encargados de fabricar la fragancia de moda, nos damos cuenta de que el perfume sigue estando vivo. Pero cuidado, ello no es algo nuevo, sólo se trata de recordar y darnos cuenta de que, desde siempre, los olores han estado con el ser humano, quien ha recurrido a ellos para las más variopintas situaciones.

Perfumes para amar, aromas para soñar, fragancias para atemperar, olores para enojar, esencias para divinizar, efluvios para metamorfosear. Son tantas las aplicaciones que le hemos dado al mundo de lo olfativo para poder obtener un resultado después, que cuesta pensar que todo ello pueda perderse.

A lo largo de las páginas de este libro veremos que el perfume tiene una magia que va más allá del nutritivo olor de un cocido de invierno o de la seductora fragancia embotellada. Éste es un libro sobre la magia de los aromas y quisiéramos hacer hincapié en esos dos términos: «magia» y «aroma», matizando que no es una forma de hablar, sino un sistema de lograr ir más allá de la razón para lograr unos resultados que, en ocasiones, son sorprendentes.

En este manual práctico sobre «Aromas Mágicos», descubriremos que cuando una intención, luego de nacer en lo más profundo de nuestro corazón, es canalizada de forma conveniente a través de la mente y mediante una serie de acciones, se puede convertir en algo maravillosamente anómalo que nos sirva para lograr alguno de nuestros propósitos. Pero en la magia del aroma, al igual que en otro tipo de artes mágicas, no basta con desear, también es necesario creer, trabajar con la voluntad y los deseos y, para ello, es imprescindible un poco de dedicación. Como iremos descubriendo poco a poco, el poder de una esencia o fragancia reside no en encender un cono de incienso, tampoco en prender una vela ungida con aceites esenciales, ni en realizar un baño con pétalos de flor. El poder de la magia del aroma está verdaderamente en todas partes siempre y cuando sepamos usar las armas adecuadas.

1. Geografía e historia de los aromas

«La mejor forma que tienes para descubrir y explorar un país que es distinto al tuyo, es respirar sus calles, plazas, mercados y cementerios, porque allí serás capaz de hallar aromas y fragancias que dirán tanto de sus gentes como la historia que está escrita.»

BORJA SUYAPA

l ser humano no se caracteriza por ser una de las criaturas con mayor capacidad olfativa de las que pueblan el planeta; sin embargo, se hace verdaderamente difícil entender un mundo sin olor, mucho más en civilizaciones avanzadas donde la perfumería y la cosmética ocupan un papel muy importante.

Los aromas nos envuelven por todas partes. Desde el gel de baño, hasta el champú para el pelo, el desodorante, la colonia refrescante, el perfume del fin de semana, todo, absolutamente todo, está pensado y diseñado con una fragancia que resulte agradable. No obstante, para algunas personas un jabón o champú resultará más o menos complaciente, e incluso no faltará la persona a la que un perfume le provoque mal humor o rechazo. Pero sería muy fácil quedarnos con la moderna historia de los aromas que nos invaden a través de los productos de higiene. Vayamos más atrás. Regresemos al origen.

El olfato, en países como el nuestro, ya no es un componente vital, en el sentido de que sea necesario para rastrear una presa o a un enemigo que esté cercano, tema que sí dominan algunas de las pocas tribus primitivas que todavía quedan en el planeta, y es que, según parece, el olfato ha quedado reducido a una pura cuestión de supervivencia o seducción, pero como veremos no siempre ha sido así.

La importancia de las flores y plantas en la Antigüedad

Los aromas nos han acompañado a lo largo de toda la existencia, aunque de forma bien diferente a la actual. Al igual que otras especies animales, la humana recibía impactos de información mediante los aromas. Así vemos que cada uno de nosotros genera, en función del estado de ánimo, una serie de fragancias u olores que determinan cómo nos encontramos. Son los aromas que nos remiten a la alegría, la tristeza, la excitación, el cortejo o los deseos sexuales. Hoy todos estos aromas están cubiertos por un cúmulo de productos, la mayoría de las veces, químicos, pero hubo un tiempo en que tuvimos la capacidad de captarlos porque la sensibilidad era mayor. Posiblemente a partir del momento en que alguien intentó disimular un aroma o emular alguno de los que veía en la naturaleza, nació un primigenio perfume. Era una pura cuestión de mimetismo.

En la actualidad algunos cazadores de tribus primitivas se «disfrazan» impregnando sus cuerpos de grasas animales y pieles para que, cuando van a cazar, sus presas no los detecten antes de hora.

Los cazadores huelen como alguno de los animales que cazarán y ello les sirve de perfecto camuflaje. Debemos pensar que esto mismo hicieron otros hombres en el pasado ya lejano. De ser así, aquí encontraríamos un primer uso creativo y «mágico» del aroma, ya que una fragancia se convierte en la «hacedora» de una situación positiva. Pero sigamos.

Es muy difícil saber en qué momento de la historia de la humanidad el aroma comienza a ser mágico. Sin lugar a dudas los primeros aromas que percibieron nuestros antepasados fueron los de las plantas, flores y tallos, cuando no raíces que, antes de llevarse a la boca, olisqueaban para comprobar si les resultaban o no agradables. Posiblemente, muchas veces, tras una fragancia agradable o aparentemente inocua se escondió un veneno, una planta incomestible o cualquier otro tipo de sorpresa no deseada, pero la forma de aprender del secreto de los aromas no podía ser otra. Quizá a partir de la muerte por ingestión de un vegetal cuyo aroma era grato pero el resultado mortal, nació una fragancia maldita.

Volvamos al entorno del hombre primitivo. Las antiguas tribus, como lo hacen las de hoy, tenían sus festividades, danzas, celebraciones y rituales. Ceremonias como las de la caza, la vida, las bodas o la muerte han sido puntos comunes en todas las culturas, por ello no debe extrañarnos que, primigeniamente, los aromas estuvieran presentes en casi todas las actividades del hombre primitivo.

A partir del momento en que se descubre la técnica para generar fuego, el humano se dará cuenta de que en función de las ramas a combustionar tendrá frente a sí un tipo de humo u otro, una fragancia o aroma más o menos agradable. Será desde la utilización del fuego cuando se comenzarán a cocer los alimentos y cada uno de ellos, además de un olor propio, al ser cocinado, emitirá otros en función de las ramas o primitivas especias con que se cocine. Por todo ello vemos que el descubrimiento del aroma y las fragancias no tuvo que ser tan complicado como nos podemos imaginar.

Con el uso del fuego cambiará casi totalmente la configuración del panorama aromático en el mundo, ya que nacerán nuevos olores y diferentes formas de lograrlos, siendo en las ceremonias y los actos rituales donde más se usarán resinas y plantas olorosas. De hecho, es casi seguro que las primeras celebraciones en las que tuvo presencia el aroma fue en las fumigaciones en honor de los muertos.

Hoy en día no despedimos a nuestros difuntos con inciensos ni perfumes que acompañen el alma del fallecido al más allá, actos que fueron la norma en muchas culturas, pero antiguamente se pretendió agradar a los dioses y a los espíritus con aromas. Una ancestral leyenda del norte de Europa afirma: «Si perfumamos al difunto con los aromas de la vida, él quedará en paz». Al parecer hubo un tiempo en que el alma del difunto, los espíritus que le acompañaban y la muerte estuvieron muy vinculados al perfume.

Para algunos investigadores el inicio del uso de los aromas acontece cuando el ser humano debe efectuar sacrificios para agradar a sus divinidades protectoras. Es en ese instante cuando se toma la medida de quemar, en los altares, maderas resinosas y plantas que resulten gratas, ya que será el uso del humo y de los aromas la mejor forma de alcanzar la atención de los cielos.

Posiblemente los primeros materiales usados fueron los que se tenían más a mano; después, con las diferentes relaciones culturales entre los pueblos, se debió de proceder a un trasiego importante de especias, plantas y esencias, de esta forma los pétalos de flores, las raíces y los tallos de la flora común serían enriquecidos con otro tipo de componentes de lejanos lugares. Tan importante fue el uso de los aromas con fines religiosos o culturales que se fueron estableciendo rutas comerciales entre lejanos países.

Pero el lector se puede confundir si cree que sólo las ceremonias de muerte eran las que provocaban el uso de los aromas. Destacaremos seguidamente algunas otras con verdadera trascendencia:

1. Nacimientos

En muchas tribus actuales y culturas de la Antigüedad, se preparaba la llegada del recién nacido con acciones verdaderamente aromáticas en las que intervenían desde las hogueras sagradas en las que combustionaban toda clase de plantas con cuyo humo se alejaba a los espíritus, hasta los hongos y flores que olía la madre a modo de ritual y que le servían para «acallar su dolor y encontrar la paz»; en definitiva, hablamos de una primigenia anestesia.

En este campo, el de los nacimientos, vemos que algunos pueblos oceánicos recibían a los recién nacidos entre fragancias de flores, cuyos pétalos se esparcían sobre el retoño para purificarlo y evitarle todo mal. De igual forma en las culturas precolombinas los sacerdotes mayas e incas preparaban pequeñas hogueras humeantes para que los espíritus negativos estuvieran alejados del lugar en que nacía un nuevo ser, al que no podrían posesionar porque el humo se lo impedía.

En la cultura celta, los sacerdotes druidas podían organizar nacimientos rituales en los que la mujer pariría sobre un lecho de plantas y flores aromáticas que le ayudarían a integrarse mejor con la naturaleza y a que su vástago recibiera todo el poder de la tierra.

2. Ritos de madurez

Este tipo de celebraciones está caracterizado por un cambio muy importante en la vida de la persona. El niño se convertirá en un aspirante a guerrero o cazador mientras que la niña, dejando de serlo, podrá prepararse para ser tomada como esposa por algún hombre que la colmará de hijos. En algunas de estas ceremonias el aroma era tremendamente importante. Entre varios pueblos africanos el niño, que dejaría de serlo, era bañado en orines propios y de animales, para luego ser abandonado sobre un árbol fragante durante toda la noche. Su cuerpo estaría protegido por el aroma que desprendería su cuerpo.

Si nos trasladamos a lo más profundo de la antigua Europa vemos que algunos ritos bárbaros de madurez pasan por que la niña que ha tenido la primera menstruación «huela como una mujer durante una lunación», por lo que su flujo será mezclado con esencias florales y animales para perfumarla.

Entre algunas de las naciones piel roja, los futuros guerreros, siendo todavía niños, eran ungidos con pestilentes grasas animales y resinas de los árboles que servirían para confirmar su condición de nuevos hombres. Dentro de estos pueblos no debemos omitir a los chamanes que se encargaban de que los nuevos adultos de las tribus, ya fueran masculinos o femeninos, pasasen por ceremonias iniciáticas en las que el humo de las hogueras acostumbraba a estar siempre presente.

3. Ritos de bienvenida

Quizá los más conocidos son aquellos de Oceanía en los que un recién llegado era recibido con una o varias guirnaldas de flores que le pretendían demostrar que era una persona grata para los allí congregados. Sin duda, las flores han sido las grandes protagonistas de las ceremonias de gratificación en las que, pretendiendo agasajar, han perfumado desde caminos hasta puertas de templos y casas. Recordemos los pétalos de rosas con que se recibían a los grandes mandatarios en muchas culturas árabes, y el aromático té preparado en lo más profundo de los desiertos por los nómadas como distintivo de bienvenida. Un té, por cierto, donde lo más importante no era el sabor, sino el aroma y la charla que podía propiciar. Si se nos permite la licencia, un acto que quien haya tenido la oportunidad de vivir, fuera de los circuitos comerciales, habrá podido comprobar que es verdaderamente mágico y trascendente.

4. Acciones curativas

En la Antigüedad muchos remedios curativos pasaban por las olorosas grasas animales, grandes precursoras de los aromas mágicos;
baste recordar que en el pasado los primitivos pueblos árabes
recurrían a la grasa de león e incluso de elefante como elementos
curativos. La del poderoso felino aseguraban que, con sólo olerla, era
capaz de dar el vigor necesario para revivir a un hombre moribundo.
Por su parte la grasa del paquidermo era perfecta para robustecer el
cuerpo. La verdad es que algunas grasas animales permitían resta-
blecer la fuerza del organismo, el ánimo y hasta el valor.

En las acciones curativas, volvemos de nuevo a los druidas, que
al pie del roble olisqueaban ciertos hongos que, por su perfume, les
devolvían la salud perdida, si bien algunos también los mataban
temporalmente, haciéndoles caer en un estado de catarsis que al
volver, si es que volvían, les permitía narrar visiones del «otro lado
de la vida» o «del país de los muertos».

Centrándonos en la curación mediante los aromas, leemos en
un antiguo tratado de salud: «Los aromas de la menta refrescarán
a quien no respire bien y los del eucalipto servirán para poder calmar y apaciguar los sueños».

5. Acciones sexuales

El sexo siempre ha sido un referente social importante donde los
haya, y el perfume, que hoy es el gran protagonista de la seducción
cosméticamente hablando, en la Antigüedad no lo fue menos. Se
sabe, por poner un ejemplo, que en algunas tribus africanas las
mujeres se vestían con pieles de animales que habían sido sacrifi-
cados en la época de celo para que su poder de seducción pasase
al ser humano.

Geografía aromática

Si queremos saber de verdad qué misterio se esconde en un lugar en el que no hemos estado nunca, un buen ejercicio es respirar con conciencia y ver adónde nos llevan nuestros sentidos. Seguramente aquellas personas que han podido viajar un poco, por lugares diferentes de los que viven, tendrán en la memoria el aroma de un zoco árabe, el perfume a incienso de una catedral gótica, el penetrante aroma de una cueva o el cargado olor del desierto. Son esencias del planeta, particularidades de diferentes mundos que están dentro de este mismo.

A lo largo de la historia de la humanidad, el carácter de un pueblo, sus creencias religiosas, sus cultos mágicos y actos sociales han marcado su historia. Es cierto, pero también el aroma ha tenido una historia e interpretación paralela, si cabe, a las que son más tangibles.

Vamos a efectuar seguidamente un repaso por algunas de las grandes culturas de la humanidad con un solo fin, descubrir algunas de las esencias que utilizaron y ver de qué manera las aplicaron en su vida cotidiana. Éste será un viaje por distintas tradiciones y países, en ocasiones antagónicos, pero siempre sabios en el uso del aroma como una fuente más de conocimiento y poder.

El uso del aroma en Egipto

El país de las pirámides, de los grandes misterios todavía velados a la humanidad, de la concepción de la vida y la muerte como un arte, el país de las momias es, sin lugar a dudas, uno de los máximos referentes que podemos encontrar al hablar de perfumes. Todavía hoy se descubren momias cuyos aromas han traspasado la barrera del tiempo, llegando a nuestros días con casi toda la fragancia que tuvieron en un principio. No olvidemos que antes de proceder a una momificación ya se extraían las vísceras a través de rituales olorosos y que después el cuerpo era cargado con bálsamos y cubierto de vendas perfectamente perfumadas. Incluso en los entierros se recurría de nuevo al perfume, para que los olores agradables alejasen a los malos espíritus del cuerpo que ya había sido momificado.

Los egipcios eran grandes maestros en el arte de la perfumería, que usaban, preferentemente, para ungir a sus momias, aunque también con fines curativos. La perfumería era tan importante en el antiguo Egipto que su conocimiento estaba reservado a unos pocos y las enseñanzas podían pasar de padres a hijos o a través de templos a los que sólo unos escogidos podían llegar. El motivo de tanto oscurantismo es muy simple: la medicina, la muerte y la momificación eran tres de los temas más rentables. Pero vayamos por partes.

Egipto nos abre parte de sus misterios ocultos a partir del descubrimiento, por parte de H. Carter, de la tumba de Tutankhamon. Desde ese momento los investigadores comenzarán a analizar con minuciosidad los papiros, encontrando en ellos explicaciones y algún que otro secreto sobre el arte aromático de esta importante cultura. De esta forma se sabe que los gobernantes egipcios importaban de lejanas tierras productos como el sándalo, la mirra y la canela, unos auténticos y caros tributos que pagaban los pueblos conquistados. Estos impuestos en versión aromática eran guardados en templos especialmente vigilados, en cuyo interior se albergaban grandes recipientes de alabastro y turquesa que contenían las esencias más importantes.

El motivo de esta «obsesión» por las esencias era bien fácil de comprender: los mandatarios y nobles precisaban cada vez más del aroma para sus vidas, así por ejemplo, un noble que desease ser un amante perfecto, tal como se nos describe en un antiguo papiro, llegaría a usar hasta quince perfumes diferentes en un mismo día con tal de favorecer el amor en su vida.

Los nobles desde luego no eran una rara excepción en este derroche de fragancias; si buscamos un poco veremos que Ramses II, por poner un ejemplo, hizo grabar en piedra que «Faraón ha agradado a los dioses con doscientas cuarenta y seis medidas y ochenta y seis manojos de canela». Como vemos, no sólo el ardoroso amor, sino también la religión, exigía su práctica con aromas y es que los dioses eran caros de contentar. En honor a la verdad, debemos entender que quienes no se contentaban con nada y se aprovechaban bastante de su posición eran los sacerdotes. Los religiosos exigían a los mandatarios cada vez más olores para sus templos, hasta el punto de que Hatshesut, reina de Egipto, fue famosa por una expedición hacia el país de Punt, adonde fue personalmente a buscar grandes cantidades de mirra.

En Egipto el perfume era necesario para todo, tanto en las casas más humildes como en los grandes palacios y en los templos. En cada uno de estos lugares se utilizaban desde el aceite de bálano, la miel o el vino, que sería mezclado con azafrán y nardo, hasta cardamomo, bedelio o mirra, entre otros muchos productos.

En las casas más pobres el aroma y las fragancias permitían alejar la mala suerte, conjurar a los dioses o proteger los hogares y, aún si cabe, disponer de una precaria medicina que ayudaría a mitigar llagas y otras dolencias de orden menor.

En los palacios los aromas eran empleados por las mujeres para embellecerse; así, trataban sus pieles con cremas aromáticas y se aplicaban ungüentos y maquillajes. Los baños de leche, los de aceite y los de agua con todo tipo de esencias florales eran un interminable ritual, más doméstico, pero ritual de aromas.

Por lo que se refiere a los templos, no podía faltar en ellos materiales como el incienso, que se quemaría frente a las estatuas de forma permanente en pequeñas y grandes hogueras sagradas. También se consumiría mirra, uno de los inciensos más utilizados en las ofrendas de las ceremonias que regularmente se debían efectuar en honor de Ra u Horus y, por si todo ello fuera poco, las estatuas de los dioses debían perfumarse, cada mañana, como si de un cuerpo humano se tratase.

El perfumado Israel

Egipto fue importante pero el antiguo Israel no lo fue menos ya que en su momento este país, hoy tan famoso por sus conflictos, tanto internos como externos, fue conocido como «la tierra de las exquisiteces y los sensuales aromas».

Los antiguos israelíes se preocupaban mucho por los aromas. Algunas tradiciones nos dicen que siempre procuraban tener unos pétalos de flores perfumadas junto a los lechos para proteger el sueño. Lo cierto es que, como en Egipto, Israel disponía de los perfumes como tantas otras culturas: para fines religiosos y sociales.

En las ceremonias nupciales las novias eran recluidas en su casa y recibían la visita de un familiar o allegado que dominaba el secreto de los perfumes y olores. Esta persona era la encargada de que la novia estuviera exultante de aroma, ya que después era enviada en una litera a casa del novio para compartir con sus invitados el perfume que destilaba.

Por lo que a la vida religiosa se refiere, el incienso, que fue introducido en las ceremonias judías en el siglo VII antes de Cristo, era un elemento básico para casi todo tipo de acto religioso.

Aromas de Grecia

La cultura griega, que durante tantos años dominó de forma intelectual y comercial buena parte del Mediterráneo, era prolífica en el uso del perfume. La abundancia de uso seguramente se debió a que la mayoría de los griegos pensaban que las plantas y los árboles no eran sino un regalo de los dioses, por ello era normal honrarlos y devolverles su atención hacia los humanos mediante el uso de fragancias en forma de incienso o esencias de flores.

Los aromas perpetuaban un rico mundo de matices en la antigua Grecia. Eran perfumes que no sólo aparecían en las tradiciones religiosas, sino en la cocina, aromática y bien condimentada con un gran número de colores, texturas y perfumes, y es que las plantas, en especial las aromáticas, lo presidían prácticamente todo. Los aromas se encontraban en actividades deportivas en forma de corona de laurel; en las casas donde se colocaban parras y rosas para aliviar las energías, o azucenas y nardos para honrar a los difuntos. Al respecto de la muerte, cabe indicar que era costumbre perfumar las estancias del hogar del finado con olorosas flores, quemar inciensos en las ceremonias funerarias y colocar sobre las tumbas todo tipo de productos aromáticos.

La herencia perfumista griega nos desvela también un profundo conocimiento de la farmacopea; en este caso, los vahos, cremas y ungüentos de todo tipo de productos naturales estaban a la orden del día: coronas de rosas para mitigar los dolores de cabeza, esencias de violeta para problemas digestivos y hasta perfumes de manzana para evitar la embriaguez o eliminarla del todo.

Finalmente destacaremos que, en sus ceremonias mágicas y adivinatorias, los elementos naturales que despedían olor se usaban con tanta frecuencia como en medicina natural: cedro para la inspiración, aceites de bálano para los sueños o mirra con canela para «secretos muy ocultos», eran, sin duda, las grandes estrellas de la aromaterapia mágica griega.

Maderas de cedro en Babilonia

Volvemos a Asia, donde nos encontraremos con lugares recónditos, famosos y también olvidados. Babilonia, donde se supone se erigió un gran zigurat conocido como Torre de Babel, parece formar parte de la memoria perdida de una historia por contar. Sin embargo, en esta cultura el perfume, los aromas de enebro y cedro estaban a la orden del día, casi monopolizando los ambientes.

La cultura babilónica, como la mesopotámica y por extensión la griega, era muy aficionada a los aromas en los platos delicados y la alta cocina. Con sólo buscar un poco veremos sopas, cremas y salsas de pistachos, cardamomo, enebro, cálamo y ciprés. Pero al margen del aspecto alimenticio, sabemos que el perfume también fue usado en el ámbito religioso e iniciático. Prueba de ello son los templos en los que se ofrecía enebro a las deidades y se efectuaban mezclas, «un tanto especiales», que eran quemadas de forma ritual en lo alto de los zigurats para que los sacerdotes ascendieran a otro nivel de consciencia.

Ya más dentro de la tradición mágica encontramos las ceremonias de purificación de personas o casas con inciensos de mirra, que era un gran purificador de la presencia de espíritus nocivos en el hogar o en la cabeza de un enfermo. Ampliando más en este camino, no debemos olvidar el incienso puro, que era la mejor manera de agradar a los dioses y eliminar los demonios. De hecho, en las ceremonias de «expulsión de los espíritus oscuros», el incienso ardía al ser lanzado sobre pequeñas fogatas de madera de cedro.

Por supuesto, si hablamos de magia, no debemos olvidar la primitiva libanomancia o arte de leer el humo del incienso. En este caso, eran los «bjaru», o sacerdotes especializados en artes adivinatorias, quienes tras encender una pequeña hoguera para la purificación, procedían a lanzar sobre ella incienso aromático; a continuación, el vidente o adivino efectuaba una pregunta en voz alta y, para que los dioses le contestaran, lanzaba un puñado de serrín de cedro, en ese instante la brasa humeaba dando una señal. Las pequeñas emanaciones de humo tenían diferentes interpretaciones; por una parte se valoraba la fuerza y densidad del humo y, por otra, la dirección. El pasado o futuro podía conocerse en función de si el humo avanzaba o retrocedía, y una respuesta negativa o positiva vendría determinada por una inclinación del humo hacia la izquierda o derecha, respectivamente. El adivino también buceaba en el humo con la imaginación y se dejaba llevar por las señales que interpretaba en sus caprichosas formas.

Restricciones y estraperlo aromático en Roma

El fastuoso imperio romano no podía ser menos en esta geografía del perfume, lo malo es que los romanos se extralimitaron en el uso del perfume, tanto es así que se promulgaron leyes para usarlo racionalmente y, al final, tuvo que prohibirse su uso en privado, reservando así las esencias y los perfumes sólo para las divinidades. Claro que, como sabemos, el panteón romano era casi tan grande como su imperio, hasta el punto de que también el emperador, cual dios, tenía que ser agraciado con aromas.

Por lo que se refiere a dioses no emperadores, Júpiter era honrado en ceremonia con fragancias de casia, mientras que Mercurio era atendido con aromas de almizcle; Marte, dios de la guerra y la fuerza inagotable, recibía aloe; por otra parte para Venus se efectuaba un complejo preparado denominado ámbar gris que, entre otros componentes, debía incorporar una sustancia grasa extraída del cráneo del cachalote conocida como «esperma de ballena».

Los romanos, como los griegos, eran grandes amantes del vino, y así como el «retzina» griego es famoso por su aroma y fragancia a resinas de maderas, los vinos romanos no podían ser menos y se perfumaban para ocasiones especiales con esencias y aromas que «los hacen más divinos, poderosos y mágicos, sin ser por ello embriagantes». Otra muestra de exageración romana era perfumar las tazas de barro en las que se bebía vino, que se sumergían en grandes barreños llenos perfume de flores y plantas.

En el aspecto mágico, la ruda, la sabina o el laurel, además del benjuí, eran las grandes panaceas que todo lo curaban y todo lo podían mágicamente hablando: canela para el mal de muerte (mal de ojo), ámbar gris para rendir pasiones, rosas para obtener mayor poder, y flores silvestres para tentar la suerte, fueron algunas de las múltiples aplicaciones.

Con tanto uso del perfume no era pues de extrañar que, al final, las autoridades tomasen cartas en el asunto y prohibiesen el uso del perfume de una forma privada. Las leyes restrictivas se hicieron tan fuertes que provocaron un mercado negro y un estraperlo tal que, por un tiempo, Roma se convirtió en la capital del aroma con caras y suntuosas especias que llegaban del lejano Oriente.

Mezquitas con perfume de almizcle

El profeta destacó que los perfumes eran una de las cosas más agradables a sus sentidos, de esta manera quedaba abierta la posibilidad de emplear los aromas en el mundo musulmán y, desde luego, se llegó a extremos casi increíbles. Por poner un ejemplo, en lo que a aspectos religiosos se refiere, encontramos documentos que nos atestiguan que las mezquitas incorporaban en sus cimientos, mezcladas con el mortero y la tierra que luego serviría para edificarlas, ingentes cantidades de almizcle para que de esta forma «tengan brillo, aroma y esplendor, pues el sol de la mañana perfumará con dulzura el interior del templo».

Dejando a un lado los templos, vemos que en los países árabes el perfume se usará en magia, para ahuyentar todo tipo de males, para potenciar cualidades como el amor o la sexualidad, en cuyo caso se mezclarán grasas de dromedario con plantas del desierto y resinas gomosas. Yendo un poco más lejos vemos que el perfume será el gran protagonista de la secta de los asesinos que, después de embriagarse con aromas de hachís mezclados con otras esencias además de almizcle, salían a la lucha sin miedo a morir.

Los aromas árabes están presentes también en las ceremonias funerarias, especialmente las de los hombres santos, ya que la creencia generalizada afirmaba que el alma ascendía al cielo luego de separarse del cuerpo, rodeada de humo aromático formado por la combustión de la madera de sándalo y aloe.

Concluiremos este repaso por la cultura árabe destacando que los místicos de aquellas latitudes alcanzaban estados de gracia y santidad, cuando no de iluminación, gracias a la inhalación de esencias perfumadas que al respirar les facilitaban la trascendencia a otros lugares, a veces lejanos y «en ocasiones llenos de monstruos».

La fragancia del oro alquímico

Lo cierto es que la alquimia ha estado, casi sin quererlo, muy relacionada con la magia del aroma. Los alquimistas del medievo escondidos en sus grutas y laboratorios buscando la sabiduría y la transmutación del plomo en oro, es decir, de la materia bruta en pura, trabajaron muchísimo con las fragancias y los aromas.

Debemos distinguir dos tipologías de alquimia: la clásica de mezclas químicas para hallar oro y otra no tan conocida en la que los alquimistas recibían encargos para lograr artes mágicas con sus mezclas. De hecho, si lo miramos fríamente, un laboratorio alquímico era el mejor lugar para extraer, sintetizar y mezclar la esencia pura de plantas y flores, siendo utilizadas muchas de ellas para obtener perfumes preferentemente de amor pero también de muerte. Fueron muchos los mandatarios que solicitaron a sus alquimistas la elaboración de fragancias venenosas con las que uncir las velas de los aposentos de sus enemigos, cuando no la creación de cremas y ungüentos capaces de matar de forma fulminante.

Por lo que se refiere a los perfumes del amor y la seducción, hubo una época en la que los alquimistas, como los curanderos y magos, tuvieron que abstenerse de elaborar según qué sustancias ya que el uso del perfume corporal, con fines no ya seductores, sino puramente higiénicos, estuvo prohibido por la Iglesia ya que se interpretó como una tentación al pecado; no en vano recogemos el caso de fray Junípero, que se cuidaba mucho de no lavarse ni perfumarse; tanto es así que cuando el diablo fue a tentarle, huyó despavorido por el mal olor que exhalaba. Paralelamente, mientras la Iglesia desestimaba por pecaminosos los aromas fragantes, utilizaba los menos agradables, aromáticamente hablando, para sus exorcismos y como ahuyentadores de los demonios. En estas ceremonias los alquimistas eran los encargados de preparar auténticas aberraciones pestilentes, para tentar a los demonios antes de lanzar sobre ellos el agua bendita; en otras ocasiones se preparaban esencias para que los espíritus de lo maligno, asustados por el olor, huyesen despavoridos.

Los aromas en otras culturas

Al margen de los pueblos citados, no debemos olvidar otros cuya presencia en el mundo del aroma es suficientemente significativa. Debemos pues hablar de la lejana Oceanía, donde sus guirnaldas de flores en señal de bienvenida no son más que una reminiscencia de la primitiva magia ancestral, ya que mediante la guirnalda floreada se pretendía proteger el cuerpo y el espíritu del recién llegado que, como ente nuevo en el lugar, podría ser atacado y hasta poseído por las entidades malévolas.

Las flores de Oceanía han representado, además de todo un lenguaje de lo simbólico, una magia del aroma, ya que las guirnaldas eran situadas también en la cabeza, las muñecas y los tobillos con diferentes olores en función de lo que se pretendiese obtener o comunicar. Los nardos y los claveles eran las flores más empleadas como captadoras de la energía afectiva y sexual. También el coco y la calabaza se usaban como remedio medicinal. Como flores más extrañas de aquellas latitudes destacaremos la hala, muy común en la Polinesia y considerada como afrodisíaca, o la sagrada alixia, que se empleaba para agradar a los dioses.

Y de Oceanía nos vamos a la India, un país embriagador de esencias, aromas y perfumes que percibiremos en el mismo aeropuerto con sólo bajar de la escalerilla del avión. Aquí los inciensos con aromas de mirra, benjuí, sándalo o cilantro comparten su existencia con todo un panteón de dioses. En la India los perfumes no sólo tienen un componente religioso que, tal vez, sea el mayoritario, también cumplen una función terapéutica a través de la popular medicina ayurvédica. Por supuesto también se emplean los aromas como método higiénico, por ejemplo, para limpiar el ambiente de una casa a través de una buena defumación o mantener la higiene corporal con cremas y preparados naturales convertidos en improvisados ungüentos y jabones que tienen un componente de misticismo.

No podemos concluir este repaso por las culturas del perfume sin citar el continente americano, donde chamanes y brujos, ya sea de las tribus piel roja como de diferentes culturas precolombinas, utilizaron plantas como la vellorita para hechizos de caza, el cedro para la purificación y la videncia o la salvia silvestre para alejar la maldad. La verdad es que al continente americano le debemos muchas plantas y especias que eran empleadas, como en Europa, para agradar a los dioses, como elementos culinarios o para simples rituales mágicos.

2. De las fuentes del aroma a las formas de aplicación

n general, cuando se habla de aromas, se suele centrar la atención en las plantas que hacen flor; sin embargo, la magia de las fragancias va mucho más allá y sus creadores han buscado desde siempre a lo largo de la historia la manera de poder obtener cuantos más perfumes mejor. En este capítulo iremos viendo la fuente de origen de algunos aromas y, algo más importante, la gran variedad de forma de aplicarlos. Veremos los inciensos, los aromatizadores y las hogueras entre muchas otras variedades de «comulgar» con los perfumes.

Si bien en un principio debieron ser las plantas de flor las que protagonizaron la historia de la obtención de los aromas, pronto fueron sustituidas por otras fuentes igualmente aromáticas. La aportación de las plantas, en este caso con flor, bien pudo ser la primera. Se han encontrado en numerosos yacimientos vestigios de ceremonias rituales y en ellos los restos, muchas veces casi fosilizados, de antiguas flores rituales. Por su parte, las plantas que no poseen flor pero que son olorosas, como podrían ser la albahaca, la menta o la ruda, posiblemente fueron utilizadas, pero algo después.

Dentro de la variedad de plantas con flor, destacaremos que no se usan todas por igual; así, las principales serán las rosas, ya sean blancas, rojas o amarillas, además de rosas, los claveles, geranios, lirios, jazmines, anís, jacintos y otras como la mejorana o la mimosa; aunque salta a la vista que su presencia estética cambia ostensiblemente de una a otra.

Pasando ya a las plantas que no poseen flor, debemos distinguir como fuentes del aroma más utilizadas a lo largo de la historia: la menta, cuyo olor puede captarse a varios metros de distancia; la hierba Luisa; la culinaria albahaca, de profundo aroma y mejor sabor, pero a más cortas distancias; la ruda, muy usada en ceremonias ancestrales y, según dicen las antiguas tradiciones, potente ahuyentadora de moscas y mosquitos. Por supuesto, en este amplio catálogo de plantas sin flor debemos incorporar la gran mayoría de las detalladas en este libro. Pero sería imperdonable concluir este repaso por los vegetales olvidándonos de los árboles resinosos, los aromáticos u otros cuyo fruto es secado a veces al sol, como en el caso de las manzanas, o hervido, como sucede con las peras.

Son muchos los árboles que nos otorgan sustancias aromáticas, extrayendo de ellos resinas, grasas, hojas, frutos y hasta parte de sus ramas, que nos proporcionarán un amplio espectro de perfumes. Podemos distinguir, entre otros, las hojas secas de laurel, las de pino o roble, los frutos del árbol de la nuez moscada, y el primigenio aroma de incienso, surgido a partir de unas incisiones en diferentes tipos de árboles para que derramen su resina aromática, que luego es tratada. Destacaremos también otras fragancias como la canela, o ya directamente desde la madera, los aromas de madera a pino, ciprés, sándalo, etc.

Claro que hasta ahora todos los aromas que hemos mencionado son perfectamente identificables en la naturaleza, al menos sabiendo la forma de producirlos; no obstante, no debemos olvidar que a lo largo de la historia mágica de los perfumes se han efectuado todo tipo de mezclas. Combinaciones que alternaban las fragancias de las resinas, mezcladas con la sangre de algunos animales, su piel, pelo o hasta sustancias grasas segregadas por las glándulas sexuales. Una de estas sustancias animales es la del almizcle y otra no tan conocida la encontramos en el cerebro del cachalote, empleada por los antiguos perfumistas romanos para elaborar el «esperma de ballena».

Sin pretender profundizar más en otros aspectos históricos y de origen que detallamos en la parte siguiente de este libro, veremos seguidamente, al menos a título orientativo, las múltiples formas en que podemos aplicar las fragancias.

Somos conscientes de que muchas formas de aplicación no aparecerán en este libro; el motivo es muy simple: hemos pretendido facilitar el trabajo a las personas que desean practicar la magia del aroma desde su casa. Salvo en contados casos, se ve que a lo largo de los abundantes ejercicios y prácticas, nos centramos en la utilización del aroma desde el soporte del incienso, combustible o no, los aceites esenciales, las esencias y, en alguna práctica puntual, recurriremos a la hoja misma del árbol o a las sales de baño. Podríamos haber utilizado otros remedios o combinar más frecuentemente algunos de los existentes, pero entendemos que no todo el mundo tendrá a su alcance los medios, el tiempo y el espacio para hacerlo según nuestras indicaciones. ¿Quiere ello decir que la magia funcionará al ralentí? Es evidente que no. Quizá en algunos aspectos será menos espectacular, aromática o vistosa, pero la esencia del perfume seguirá estando presente.

Veamos seguidamente algunas de las modalidades o soportes que encontramos para hacer uso de los aromas, así como sus indicaciones más recomendables.

Incienso combustible

Se denomina así el tipo de producto que, por la estructura y la clase de sustancia que posee mezclada con el aroma que lo identifica, permite la combustión de una forma rápida y sin la ayuda de otras fuentes. En este caso, hablaríamos de los conos o barritas de incienso que, con sólo aplicarles la llama de una vela o cerilla unos segundos, se encienden y luego combustionan expandiendo su fragancia. Este tipo de incienso es el más cómodo y menos peligroso de usar.

Servirá de forma excelente para ambientar de una manera rápida cualquier estancia, si bien sus aromas no suelen ser tan penetrantes ni duraderos como los del incienso incombustible.

Incienso incombustible

Se trata de un incienso de mezcla aromática y granulado, donde los diferentes aromas se nos presentan en partículas duras que precisarán de una fuente de calor permanente, como el carbón incandescente para arder.

Este incienso tiene la ventaja de poder aromatizar de forma suave, desde un saquito ceremonial hasta un armario o cajón cerrado sin necesidad de prenderlo, ya que una vez fuera del envoltorio que lo recubre desprende su fragancia poco a poco.

Si deseamos mayor intensidad, deberemos usarlo siempre sobre brasas, ya sean de carbón especial para inciensos o de hogueras. Por lo general, el incienso granulado, en polvo o cristalizado, se usa en espacios abiertos o en estancias ventiladas, teniendo la precaución de emplear siempre proporciones pequeñas dado su fuerte y condensado aroma.

Aceites esenciales

Pertenecen a la rama de la cosmética más pura y artesanal y se extraen mediante destilación de las plantas que tienen un aroma ya natural, es decir, el aceite esencial no necesariamente tiene que ser oleoso, si bien, en algunos casos, se les aplica aceite de oliva para que se adhieran mejor y puedan combustionar. Dicen los puristas que un aceite esencial es el alma de la planta o flor condensada en un pequeño frasquito.

Los aceites se aplicarán para unciones de velas que se humedecen con el perfume a fin de propagarlo en caliente al combustionar.

Serán ideales para aromatizar y dar poder a amuletos, talismanes y objetos mágicos, aplicándoles unas gotas o incluyendo estos aceites en su composición.

Algunas personas los utilizan en inhalaciones directamente desde el frasquito, que debe estar a una cierta distancia de la nariz. También puede olerse a través de un algodón humedecido con el aceite.

Esencias

Muy parecidas a los aceites esenciales, las esencias son una modalidad bastante más barata que la anterior, ya que, en este caso, la cantidad natural de aroma es bastante menor que la del aceite. De hecho, las esencias incorporan agua y alcohol en cantidades bastante altas.

En la actualidad, la gran mayoría de los aromas podemos

encontrarlos en su versión de esencia, pero cuidado, no es un perfume, por lo que no debemos aplicarlo sobre la piel salvo que tengamos garantizado totalmente por el fabricante que sus componentes no son nocivos dermatológicamente.

Suelen usarse para ambientar espacios cerrados, ya que su aroma en los abiertos es prácticamente imperceptible a no ser que se usen grandes cantidades.

El empleo más generalizado es a modo de vaporización, siempre mediante lamparillas que llevan incorporada una vela que, actuando de fuente de combustión, vaporiza las fragancias por calor. En lamparilla o defumador, estos aromas suelen mezclarse pudiéndose lograr numerosas fragancias verdaderamente deliciosas.

Pueden sustituir a los aceites esenciales en la unción de las velas y, de igual forma, incorporarse en amuletos y talismanes, pero su efectividad aromática será menor.

En ocasiones se mezclan con los inciensos no combustibles para suavizar sus aromas en la combustión.

Para finalizar este capítulo nos centraremos en las formas de aplicación de los aromas para los rituales mágicos. Ya hemos visto que cada modalidad tiende a poseer su sistema más adecuado de combustión; no obstante, debemos saber que hay diferentes modalidades de obtener una buena fragancia en nuestro entorno.

Ambientación

La lograremos mediante el uso de inciensos combustibles en barra o cono y también con los incombustibles usados en pequeña medida en espacios cerrados.

Inhalación

Debemos recurrir a estos procesos cuando deseamos que la propiedad del perfume nos afecte directamente. Para ello siempre tenemos que llevar mucho cuidado y no inhalar directamente ni de un vaporizador, ni siquiera, por inocuo que nos parezca, del envase del aroma, salvo que lo pongamos a una distancia prudencial. Este sistema suele usarse para adoptar estados especiales de conciencia.

Sahumerios

Éste es el nombre técnico que recibe la técnica de producir humo aromático mediante la combustión de inciensos en pequeños fuegos. A diferencia de la hoguera, que tiene una finalidad proyectiva de humo, el sahumerio pretende «duchar» o «bañar» al oficiante con el humo sagrado. Puede ser utilizado para purificar, limpiar o ejercer una influencia.

Hogueras

Heredadas de la antigua costumbre ritual de agradar a los dioses mediante humo, las hogueras tienen una finalidad «proyectiva», ya que a través de las fragancias que se queman en ellas se pretende expandir el deseo del oficiante. En algunos casos las hogueras rituales se usan para afectar directamente al operador: se traza un círculo de combustión en cuyo interior, a una distancia prudencial del fuego, se instala el futuro iniciado.

Baños y duchas

Los perfumes y las esencias o los elementos naturales pueden prepararse de forma que podamos bañarnos o efectuar irrigaciones con ellos. En estos casos se suele recurrir a las sales de baño o los líquidos obtenidos tras preparar infusiones. Como acto ceremonial que es, el baño pretende que el oficiante se impregne física y vibracionalmente de la fragancia o aroma de un elemento natural. El proceso habitual es introducir en el agua de la bañera las esencias de las infusiones o en su defecto las hojas y productos naturales de forma directa. Cuando se carece de superficie de baño, el operador es sometido a una serie de irrigaciones, de forma que el agua que contiene las esencias se derrama con la ayuda de una esponja sobre su cuerpo y cabeza.

Jabones y cremas

Son poco usados por personas neófitas y generalmente están reservados a grandes magos que incluso se encargan de su elaboración artesanal, si bien en la actualidad es posible adquirir la mayoría de estas fragancias para sustituir otros remedios de aromatización mágica. Los jabones y cremas se emplean básicamente a fin de impregnar el cuerpo del oficiante de una forma muy directa, para ello se recurre al baño o lavado. Recomendamos al lector que sólo emplee jabones o cremas cuando esté garantizada su procedencia y con la seguridad de que no afectarán a su piel.

3. Selección de aromas

«Las cosas de este mundo que son más agradables para mi corazón y mis sentidos son los niños, la mujer y los perfumes.»

MAHOMA

 lo largo de esta cuarta parte, vamos a efectuar un paseo simbólico por los diferentes tipos de aromas, remontándonos someramente a su historia y a las aplicaciones más usuales.

Como hemos podido comprobar a través de los capítulos precedentes, son muchas las aplicaciones que han tenido y tienen las fragancias a lo largo y ancho del mundo. Por eso, consideramos interesante destacar seguidamente aspectos particulares de todos los aromas que hemos incluido en este libro.

En esta «selección de aromas», ordenada alfabéticamente, el lector podrá descubrir aspectos curiosos e históricos de los diferentes perfumes y alguna de las múltiples aplicaciones que podemos encontrar en ellos.

Somos conscientes de que hay muchos aromas más, pero nuestra selección se basa en aquellos que podemos encontrar de forma fácil, ya sea en tiendas especializadas o en plena naturaleza, dejando a un lado lo que se denomina confección aromática.

Afrodisia

El perfume de afrodisia era un potente invocador de la diosa Afrodita, que fue concebida entre el mar y el cielo. Hija de la espuma de las olas, es una de las divinidades más relevantes del Olimpo.

El perfume que nos ocupa es un aroma difícil de encontrar y que en la Antigüedad era considerado sagrado, dándole aplicaciones rituales básicamente femeninas.

Utilizaremos este aroma preferentemente para los asuntos amorosos en cualquiera de sus vertientes, ya sea para recuperar la ilusión original de una relación, para potenciar que un nuevo amor llegue a nuestra vida o a fin de retener a la persona que, con su actitud fría y distante, nos dé signos evidentes de un creciente desinterés. En un marco general, el aroma de afrodisia nos ayudará a equilibrar nuestra vida afectiva y, muy importante, a potenciar el vigor sexual, incrementando tanto el deseo como la potencia precisa para plasmarlo.

Ajo

La planta del ajo tiene un origen incierto, aunque su nombre en latín, *allium*, se deriva de la conjunción de nomenclaturas persas y celtas. También se tienen noticias de que en el antiguo Egipto el ajo era utilizado como condimento alimenticio.

En la actualidad, la planta del ajo puede consumirse fresca, utilizando los pequeños brotes, o seca en forma de bulbo entero o, como se le denomina comúnmente, «cabeza» de ajo, desgranando los bulbillos denominados «dientes».

Las propiedades mágicas de esta inocente planta son bien conocidas. Dentro de la cinematografía, ¿quién no recuerda una ristra de ajos ubicada en el interior de las habitaciones, con el fin de ahuyentar el sensual, pero pérfido, mordisco que llevará a los protagonistas a compartir una oscura eternidad?

Como podremos apreciar, el ajo, tanto por lo que representa como por el fuerte olor que desprende o por su forma, ha sido utilizado desde tiempos inmemoriales con el fin de proteger tanto los hogares de las malas energías que puedan proceder del exterior de su marco, como a los habitantes de los mismos, preservándolos psíquicamente de la agresión mental de terceras personas.

Albahaca

El origen de esta planta es misterioso. Lo que sí sabemos es que antiguamente en la India enterraban a sus muertos en los cimientos de sus casas y que ponían una maceta de albahaca en el quicio de la ventana más próxima al enterramiento. Dicha maceta era cuidada con sumo esmero, como si del difunto en sí se tratara. Le contaban sus cuitas y problemas y le agradecían los bienes y favores obtenidos.

Su aparición en Europa no fue tan venturosa, ya que suponían que aspirar el aroma de la planta producía dolores de cabeza que podían desembocar en la locura. Actualmente, en muchos países de Asia, es costumbre dejar los tallos de albahaca remojados en agua y derramar el líquido resultante de la maceración en frío en las puertas de las tiendas, con el fin de atraer clientela y aumentar los ingresos.

Como habremos podido comprobar, la albahaca es una planta que, desde hace siglos, se utiliza para atraer la fortuna, suerte que puede venir bajo una forma meramente material, representando un aumento de ingresos, logrando así un tranquilizador bienestar económico, o bajo una vertiente más emocional, potenciando en el individuo un espíritu positivo que, sin duda alguna, va a ser de gran ayuda a la hora de enfrentarse a los avatares de la vida de forma optimista y constructiva.

Alcanfor

Desde hace siglos el alcanfor formaba parte del vademécum cotidiano de las farmacias y laboratorios de monasterios y conventos de prácticamente todas las órdenes religiosas. Tanto los religiosos como los seglares con los que compartían la vida monástica aspiraban el aroma de alcanfor para apaciguar el deseo sexual, en la creencia de que, utilizado a diario, podía llegar a anular por completo este natural instinto.

Actualmente, es muy difícil conseguir alcanfor puro, ya que la extracción de esta esencia del árbol de alcanfor, tanto de su corteza como de sus hojas, es una laboriosa práctica. Llegados a este punto, queremos comentar que las bolitas de naftalina domésticas que utilizamos para ahuyentar la polilla contienen alcanfor artificial y que inhalar sus vapores directamente puede ser perjudicial para la salud.

El aceite blanco de alcanfor, obviamente más costoso, es mucho más seguro que el sintético. El alcanfor cristalino es aún más difícil de encontrar, y deberán tener precaución, en ambos casos, a la hora de aspirar su aroma ya que se debe utilizar de forma moderada y con muchísimo respeto.

El alcanfor, bajo su vertiente mágica, es un potente revitalizador orgánico que nos va a ayudar a lograr la claridad mental y el tono físico precisos para que el camino hacia nuestros objetivos se nos presente más claro y con menos vicisitudes.

En el terreno de las malas influencias, los vapores de alcanfor se utilizan para limpiar el cuerpo psíquico de las influencias negativas que nos impiden evolucionar de manera óptima.

Almizcle

El almizcle es una sustancia grasa y untuosa de olor intenso que segregan algunos animales a través de glándulas situadas en el prepucio, periné o ano. También se denomina almizcle a la grasa que poseen determinadas aves debajo de su cola.

El almizcle se utiliza en muchísimos cosméticos y perfumería. Ahora bien, no debemos confundirlo con la planta almizcleña que pertenece a la familia de las liliáceas; se parece al jacinto, siendo un poco más pequeño que la mencionada y posee unas flores de color azul claro que despiden el olor de almizcle. Por tanto, vemos que podremos hallar el aroma del almizcle en versiones animales y vegetales. La forma de averiguar su procedencia vendrá determinada por el precio del producto a adquirir.

El conocimiento de las propiedades mágicas del almizcle data de la más remota antigüedad. Existe un libro, cuya paternidad se le atribuye a Agrippa, que ya nos habla de este perfume. H. Cornelius Agrippa nació en Colonia el 14 de septiembre de 1486 y falleció en Grenoble el 18 de febrero de 1535. Fue cabalista y médico que, durante muchos años, llevó a cabo misiones diplomáticas y militares, pero sus ideas esotéricas, marcadas por la filosofía platónica y pitagórica, le llevaron a grandes problemas con las instituciones oficiales. Agrippa concebía la naturaleza como un conjunto animado por lo que él denominaba «el espíritu del mundo», de ahí su interés por la magia natural y, en especial, la de los aromas que encontraba en bosques y montañas.

En la actualidad, el almizcle se utiliza como un poderosísimo protector de la infancia. Los niños, inocentes, puros y vulnerables, a menudo están expuestos a envidias y malas influencias dispensadas tanto por los de su edad como por los adultos. La fragancia del almizcle, entre otras muchas virtudes, tendrá la capacidad de crear una barrera protectora que hará al infante inmune a toda negatividad.

Ámbar

El ámbar es una resina fósil cuyo color acoge toda la gama de los amarillos, del más pálido al más profundo u oscuro. Desde siempre se ha utilizado como piedra ornamental, considerada sagrada por muchos pueblos que daban a la citada resina propiedades favorecedoras para la fecundidad. Algunas etnias sudafricanas suelen mezclar el ámbar con tierras y flores sagradas y las esparcen en la puerta de la casa de la amada con el fin de conseguir sus favores.

Antiguamente, el ámbar bajo la forma de perfume se extraía al recalentar la preciada resina. Su aroma está dotado de un olor muy característico que nos remonta a paraísos sensuales. De todo lo dicho, podemos fácilmente deducir que el uso mágico que daremos al aroma de ámbar irá encaminado a conseguir y retener al amor logrando que la relación se formalice en forma de compromiso legal o matrimonio. El perfume de ámbar enerva los sentidos facilitando que el amor entre en nuestra vida y haciendo que logremos retenerlo, aderezándolo con un importante ingrediente como es el sexo. El ámbar es el aroma por excelencia a la hora de desarrollar y disfrutar de una sexualidad plena, potente y excitante.

Anís

La planta del anís fue denominada por Plinio como «anisón», de ahí deriva el nombre con el que la conocemos hoy en día. Su procedencia se fija en la parte oriental del Mediterráneo. Actualmente se consume seca y su mata se cultiva en hileras separadas entre sí por medio metro de distancia. En ocasiones se encuentra también en cultivo espontáneo en las proximidades de los huertos.

También se utiliza el aroma del anís estrellado, cuyo fruto se parece a una estrella de ocho puntas; cada una de ellas contiene una brillante semilla de color marrón que desprende un profundo olor a licor.

Habitualmente, una especia afín al anís estrellado la podemos encontrar en lugares cercanos a los templos budistas. En Japón utilizan su corteza como incienso, dándole la facultad de relajar la mente y ser un buen potenciador de las capacidades psíquicas.

El uso mágico que daremos al aroma del anís irá encaminado a favorecer el ambiente para llevar a cabo, aprovechándolo de forma óptima, el tiempo de estudio. Nos ayudará tanto a concentrarnos en las materias que nos ocupen como a sintetizar y seleccionar los temas importantes, descartando lo superfluo. Potenciará tanto la concepción de nuevos proyectos, como la puesta en marcha de los ya aprobados, y será de gran ayuda a la hora de adquirir el sosiego y la tranquilidad precisos para reflexionar de forma eficaz sobre cualquier tema que nos preocupe, alcanzando grados superiores de objetividad y conciencia.

Azafrán

La procedencia de su nombre es árabe y deriva de la palabra *assfar*, que significa «amarillo». Antiguo símbolo solar, fue considerado como una flor sagrada para los cretenses; las deidades griegas llevaban las túnicas teñidas de color azafrán. Más adelante, las prendas de color azafrán fueron distintivos tanto de nobles como de prostitutas. El color que nos ocupa también está asociado a las túnicas de los monjes budistas y, en Roma, el azafrán se quemaba en honor de las divinidades y los fenicios lo añadían a los dulces que ofrecían a su diosa lunar llamada Astarté. En Oriente el color amarillo del azafrán se vinculaba a los ritos de fertilidad y abundancia, favoreciendo el vigor tanto psíquico como sexual.

Siguiendo con la historia de las propiedades del azafrán, señalaremos también que los antiguos persas lo utilizaban para facilitar el parto y que en el siglo XVII era usado en forma de aceite para prevenir la embriaguez. En plena Edad Media el valor del peso de las flores de azafrán era equivalente al del oro, siendo castigado con la vida su adulteración.

La planta del azafrán es bulbosa, de hojas más largas que las flores, que se abren en otoño y están formadas por seis pétalos de color lila, presentando estigmas en forma de maza de color rojo anaranjado. Estos estigmas, más largos que los estambres, sobresalen de sus bordes, desprendiendo un aroma muy característico y un tanto amargo.

Para hacernos una idea del valor económico del azafrán y del esfuerzo que representa su obtención, diremos que es preciso cosechar más de cuatro mil quinientas flores para conseguir treinta gramos escasos de esta apreciada especia.

El aroma cálido y estimulante del azafrán lo emplearemos mágicamente para que la prosperidad llegue a nuestras vidas, potenciando tanto la suerte en los juegos de azar como favoreciendo una mejor administración de los bienes que ya poseemos. También este aroma será de gran apoyo a la hora de acertar en las inversiones más rentables.

Es una esencia que despierta nuestra mente, dotándola del vigor y energía precisos para elaborar planes satisfactorios de superación. Incrementa la fuerza de voluntad y la energía tanto anímica como física, llevándonos a una mayor plenitud. Mezclado con otras esencias, puede alterar en demasía el vigor sexual.

De todo lo dicho se desprende que el uso del azafrán debe ser moderado, tanto en su parte más crematística como en los abusos que se puedan hacer del empleo de dicho aroma, abusos que podrían derivar en molestias físicas.

Azahar

La palabra azahar procede del término árabe *al-azhar*, que significa «flores blancas». Como blanca y delicada es la flor del azahar cuyo origen está en el naranjo, limonero o cedro.

La flor de azahar se ha utilizado en rituales antiquísimos dedicados a las deidades femeninas a las que se les otorgan atributos mágicos creadores de los sentimientos del amor y de la unión afectiva y sentimental. No en vano, la flor delicada del azahar ha adornado tanto las coronas de las novias como sus ramos, significando una virginidad que está a punto de entregarse como tributo al amor al pasar la joven del tránsito de la adolescencia a la madurez.

Antes de empezar a reflejar la parte de uso mágico del azahar, conviene saber, ya en un plano más crematístico, que el aceite esencial puro, destilado de las flores del naranjo, tiene un precio sumamente elevado.

La flor de azahar causará alegría a su portador, pudiendo llegar incluso a crear sensación de euforia. La esencia de azahar es un excelente revitalizador que aleja de nuestra mente los pensamientos negativos, sustituyéndolos por otros dotados de energía activa y positiva. La revitalización que provoca no es sólo mental; físicamente, la esencia de azahar nos puede ayudar a superar los malos hábitos, logrando recuperar el vigor perdido, especialmente en el terreno sexual.

Azucena

La palabra que sirve para nombrar a esta flor procede del nombre
árabe *as-susana*, que significa «lirio». Según el diccionario, se
trata de una planta perenne de la familia de las liliáceas, con un
bulbo del que nacen varias hojas largas, estrechas y lustrosas, tallo
alto y flores terminales grandes, blancas y muy olorosas. Sus especies y variedades se diferencian en el color de las flores y se culti-
van para adorno en los jardines, usándose también en cosmética y
perfumería. Por otro lado si miramos un diccionario veremos que
define azucena como una persona u objeto especialmente puro y
sensible, tanto a la vista como a los sentidos, dada su apariencia
y blancura.

Escapándonos un poco de tecnicismos idiomáticos, conviene
señalar que, antiguamente, la azucena se usó para representar y
honrar a un gran número de diosas, entre otras, a Britomartis en
Creta, Juno en Roma y Hera en Grecia. Más tarde, su simbolismo se
catolizó y la flor de la azucena pasó a simbolizar a la Virgen María.

La azucena es también la flor elegida para representar las fiestas paganas de la primavera que han derivado de la Pascua cristia-
na. Antiguamente se creía que, si a una mujer embarazada se le
daba a escoger entre una azucena y una rosa y elegía la primera,
daría a luz a un varón; por el contrario, obviamente, si elegía la
rosa el fruto de su vientre sería una niña.

También la creencia popular señalaba que no se debía dormir
con azucenas frescas en la habitación de descanso, ya que la inhalación de su perfume durante la noche podía ser extremadamente
peligrosa para la salud mental, sin duda porque un abuso de esta
flor podría conducirnos a estados alucinatorios.

De lo que no hay duda es de que la azucena es una flor femenina
y feminista por antonomasia, y que existe la mágica y un tanto politi-
zada creencia de que inhalar su perfume ayuda a ganar seguridad y
resolución a quienes deseen liberarse de los efectos de la sociedad

patriarcal, sintonizando con la esencia de la diosa, o lo que es lo mismo, con la espiritualidad femenina libre y generadora de vida.

Otro de los usos que se dan a la fragancia de la azucena es el de socorrernos ante las controversias y discusiones ayudándonos a superar tanto los disgustos derivados de las mismas como a paliar la tristeza producida por el enfrentamiento. Dicen que si aspiramos el aroma que destila la azucena antes de una inevitable pelea, nos enfrentaremos a ella con mejor ánimo y control de la situación logrando, por tanto, salir bien parados y vencedores en el pleito que haya motivado la disputa.

Benjuí

La palabra benjuí procede del árabe *laban yawi* y se identifica con un bálsamo aromático que se obtiene por incisión en la corteza de un árbol del mismo género botánico que el que produce el estoraque en Malaca y en varias islas de la Sonda.

El aroma que destila la esencia esencial del benjuí es dulce y cálido, ligeramente parecido al de la vainilla. Su color es oscuro y posee una textura viscosa y espesa. Debe manipularse con cuidado ya que el contacto con la esencia de benjuí deja mancha tanto en el papel como en la ropa.

Lo utilizaremos con fines mágicos si deseamos revitalizarnos después de una época en la que hayamos estado sometidos a un desgaste excesivo de índole tanto física como mental. Inhalar su aroma nos ayudará a lograr la concentración necesaria a la hora de enfrentarnos a pruebas académicas en forma de exámenes u oposiciones. Será un potente estimulador mental que activará nuestras neuronas y calmará el sistema nervioso: el resultado es una mayor eficacia y aplomo. En resumen, es la esencia ideal para todo tipo de estudiantes y personas que, en general, vayan a estar sometidas a un sobreesfuerzo.

Bergamota

La palabra que da nombre a este árbol, que puede medir hasta cuatro metros de altura, procede del italiano *bergamotta*, que lo toma de la denominación de la ciudad de Bérgamo.

La especie fue introducida en Italia en el siglo XVII como planta ornamental y, actualmente, se cultiva para la obtención de su fragante y particular esencia, muy utilizada en perfumería, cosmética y como aromatizador de bebidas y productos alimenticios.

Nos estamos refiriendo a un árbol muy delicado en cuanto a las condiciones climáticas, por lo que el cultivo de la bergamota está muy localizado y poco extendido, limitándose a Calabria (Italia) y a ciertas zonas de Marruecos, Túnez y Argelia.

El aroma fresco y un tanto ácido de la bergamota va a prestarnos un excelente servicio si deseamos lograr la armonía interna. La sociedad en que vivimos, sometida a un bombardeo de información no contrastada, atenta en demasiadas ocasiones contra nuestra sensibilidad y sentimientos. La esencia de bergamota será de gran ayuda a la hora de equilibrar nuestro mundo interior con las circunstancias externas a este ámbito, potenciando la armonía y la paz espiritual precisas para enfrentarnos, sin dolor, a los temas más mundanos.

Borraja

El sustantivo borraja procede del nombre genérico árabe *abuaraq*, que significa «padre del sudor». Definición muy exacta que alude perfectamente a las propiedades sudoríferas de la borraja.

La borraja es una planta anual, de la familia de las borragináceas, que puede medir de 20 a 60 centímetros de altura. Posee un tallo grueso y ramoso, hojas grandes y aovadas, flores azules dispuestas en racimo y semillas muy menudas. Está cubierta de pelos ásperos y punzantes, es comestible y, como ya hemos mencionado, la infusión de sus flores se emplea como sudorífico.

La humilde planta de la borraja está presente en toda Europa mediterránea, puede crecer espontáneamente al borde de los huertos, cerca de las casas y allí donde abunden las sustancias nutritivas. Su cultivo es muy sencillo: se siembra en primavera en hileras dispuestas a campo abierto.

Médicamente, la borraja es, como ya hemos visto, un excelente sudorífico pero, además, también resulta un buen cicatrizante, teniendo propiedades emolientes y antiinflamatorias. Dicen que antiguamente se utilizaba una planta de la familia de la borraja llamada consuelda para recuperar la virginidad. Las mujeres se sumergían en agua preparada con consuelda y quedaban «enteras» y lavadas del trance sexual.

Mágicamente, la aplicación de esencia o aceite de borraja nos ayudará a relajarnos, facilitando la depuración de todas las circunstancias cotidianas que impiden nuestro descanso. Con la borraja, afrontaremos los problemas de una manera más tranquila y sosegada, creando el espacio mental necesario para llegar a soluciones sin traumatismos. También nos ayudará a que ejerzamos el autocontrol frente a un carácter violento o respecto a situaciones que impliquen una cierta dosis de violencia, tanto emocional como física.

En resumen, la borraja nos ayudará a mantener el equilibrio entre el mundo físico y el psíquico, creando campos abonados para la paz del espíritu.

Brezo

El brezo es un arbusto que puede llegar a medir entre uno y dos metros de altura; posee abundantes ramas provistas de hojas verticales, lineales y lampiñas. Sus flores son de tonalidades que van del color blanco verdoso al rojizo. La madera del brezo es dura y está bien anclada en el suelo a través de unas gruesas y sólidas raíces.

Antiguamente, algunas culturas utilizaban la aromática madera del brezo para confeccionar pipas sagradas. Madera que, por otra parte, aguantaba muy bien la combustión, prolongándola y emitiendo un agradable aroma al que le concedían propiedades mágicas. Las pipas confeccionadas con madera de brezo acostumbraban a ser empleadas en grupos, durante ceremonias y ritos de iniciación.

Algunos chamanes usaban el perfume del brezo para que les guiase en el camino hacia el más allá. También podemos encontrar defumadores con esencia de brezo en los templos orientales. La creencia era que, si permanecían encendidos noche y día, los dioses, agradados por su aroma, no abandonarían nunca aquel lugar sagrado.

Actualmente, la madera de brezo es una de las más apreciadas a la hora de confeccionar pipas de fumador. También se emplea para elaborar el carbón de fragua.

Si utilizamos el aroma de brezo con fines mágicos, comprobaremos que es un poderoso aliado a la hora de despertar nuestra mente y aclarar las dudas que la bombardean, impidiéndonos tomar decisiones. Es el perfume ideal para utilizar en estados de reflexión, facilitando nuestra inmersión en el mundo de los proyectos que, bien dirigidos y estructurados, puedan derivar en realidades bajo la forma de sustanciosos negocios. Acompañados de su olor podremos conseguir, a buen seguro, unos mejores estadios laborales.

Café

La plata del café fue introducida por los abisinios en Arabia hacia el siglo XIII. Gozó de una gran popularidad en todos los países islámicos que valoraron enormemente las propiedades estimulantes del café. Fueron los turcos los que generalizaron el consumo del café, que llegó a Europa en el siglo XVI. No obstante, la materia prima resultaba muy cara; por tanto, su consumo se vio limitado a la nobleza y las clases altas.

El cafeto es el árbol de donde procede la semilla del café, cuyo origen se centra en Etiopía. Puede medir de cuatro a seis metros de altura y posee unas hermosas hojas de color verde intenso. En primavera, su floración es muy vistosa, se inunda de flores blancas y olorosas, parecidas a las del jazmín. La planta del café posee unos frutos en forma de baya roja, cuya semilla es el café del que recibe el nombre.

Dejando a un lado la botánica, nos centraremos a continuación en el tema que nos ocupa prioritariamente a lo largo de todo este libro, es decir, en el aroma que desprende el café recién molido o recién elaborado en sabrosa infusión, más o menos exprés, listo para ser degustado.

Aprovecharemos los efluvios mágicos del café cuando deseemos crear un ambiente que potencie la conversación, la concordia y los acuerdos satisfactorios. Nos dejaremos envolver por su rico aroma cuando deseemos crear una atmósfera de paz y complicidad en las reuniones, tanto profesionales como familiares, sirviéndonos de su poder odorífero a la hora de establecer y crear vínculos de confianza. No hay que olvidar que el café invita tanto a la intimidad como a la confidencia.

En otro orden de cosas, el café ha sido utilizado por numerosas culturas africanas, exportadas al mundo occidental bajo la figura del sincretismo religioso. Podemos poner como ejemplos la santería cubana, el vudú haitiano o el candombe y la umbanda practicados de forma bastante general en Sudamérica. Dichas religiones suelen darle al café, entre otras aplicaciones, la de ahuyentar el «mal de ojo» y los espíritus negativos, logrando que las naciones del mal sean sustituidas y vencidas por la influencia poderosa y benéfica de sus dioses.

Algunas tradiciones sincréticas lo utilizan también para acompañar a los difuntos en el tránsito que los lleve al más allá.

Caléndula

La caléndula debe su nombre genérico a la palabra latina *calendae*, que tiene el significado de «calendario». Posiblemente tomó este nombre dado que sus flores amarillas se abren a la salida del sol. Otra posible razón se basa en que si la planta está bien protegida del viento, en terrenos abonados y soleados, aplicándole riegos regulares, puede producir una floración escalonada que duraría, en circunstancias óptimas, todos los meses del año. A la caléndula también se la conoce popularmente con el nombre de maravilla.

Esta planta es utilizada en la confección de jabones y cremas de uso cosmético, siendo además muy positiva su aplicación frente a la picadura de insectos ya que posee propiedades calmantes.

Antiguamente, se servían del olor de sus flores para aliviar las penas y las angustias y, entre otras muchas aplicaciones, aspiraban el aroma de sus capullos para mejorar los problemas de la vista.

Si deseamos tener sueños psíquicos y reveladores, el perfume suave de la caléndula nos ayudará a lograrlos. Si nuestro problema es que la clientela se queda en la puerta de nuestro comercio o negocio, el aroma de la caléndula la atraerá al interior del mismo con la fuerza de un imán.

Camelia

Debemos su nombre a un botánico del siglo XVII llamado G. J. Kamel. La camelia procede de un arbusto originario de Japón y de China. Posee hojas perennes, lustrosas y de un verde muy vivo.

Está adornado por hermosas flores blancas que pueden tomar también tonalidades rosadas o rojizas.

Dicen que la camelia es una de las flores más bellas y delicadas que existen, aunando su preciosidad con un aroma suave y exquisito. En sus países de origen se consideraba a la flor de la camelia como símbolo de la fugacidad de la vida; también era representativa de la primavera y sinónimo del concepto más amplio de hermosura.

Utilizaremos el perfume de la flor de la camelia si deseamos seducir tanto en el amor como en las relaciones interpersonales en general. Esta delicada flor potenciará nuestro carisma personal, facilitando que la sensualidad llegue a nuestras vidas de manera profunda y armoniosa.

Dicen que el aroma de la camelia aporta belleza a quien la lleva, tanto en forma de flor natural como de esencia.

Canela

La canela procede de un árbol originario de Ceilán que puede alcanzar una altura de más de diez metros. Posee un tronco liso y está adornado de flores blancas delicadamente perfumadas. La segunda corteza de las ramas de este árbol es la canela tal como la conocemos nosotros.

El aceite esencial de canela presente en su corteza sirve para aderezar platos de repostería, dulces, chocolate y dar un aroma muy peculiar a las frutas en conserva. También se utiliza en la industria licorera y en la aromatización del tabaco de pipa. El aceite obtenido a partir de las semillas es empleado en cosmética y perfumería. No obstante, estamos hablando de una sustancia ciertamente irritante, por lo que no deberemos usarla directamente sobre la piel.

La canela molida pierde su aroma con gran rapidez, por lo que es preferible utilizar el palo y pulverizarlo o machacarlo nosotros mismos.

Aspirar la dulce pero penetrante fragancia de la canela ayudará a potenciar nuestro psiquismo, logrando alcanzar estadios más elevados de meditación. La esencia de canela también es ideal para solventar estados de economía paupérrima, ya que de su rico aroma se desprende una energía que facilita la entrada de ingresos. Si nos acostumbramos a utilizar la fragancia de la canela, ella nos abrirá las puertas que den paso a la prosperidad y la abundancia.

Muchas culturas utilizan el aroma embriagador de la canela para atraer el amor, facilitando y potenciando las relaciones amatorias.

Cardamomo

El cardamomo ya era conocido en Europa en tiempos de griegos y romanos. El cardamomo de mayor valor procede de los bosques tropicales de Malabar (India).

El cardamomo es un arbusto en forma de junco, con los tallos cubiertos de hojas. Puede medir más de dos metros de altura y está provisto de robustos rizomas. Posee flores labiadas amarillas, manchadas de tonos azules. Los frutos son cápsulas en donde se desarrollan las semillas. Las semillas de cardamomo, de tonalidades verde pardo, se desecan en la cápsula cuando aún no están completamente maduras. De esta forma, se consigue preservarlas de la luz, hecho que ayuda a conservar, hasta el momento de su utilización, todas sus propiedades y todo su aroma.

La esencia de cardamomo es una de las más costosas del mercado, yendo a la par con el azafrán y la vainilla, y su olorosa fragancia puede apreciarse incluso cuando la semilla está entera, es decir, sin abrir.

En todo Oriente Medio la semilla de cardamomo se utiliza mezclada con el café y la voz popular anuncia en el cardamomo una legendaria habilidad para despertar las pasiones sexuales. Dicho efecto se hace extensivo a la aspiración de la esencia de esta semilla, considerada como un potente afrodisíaco.

Con el destilado de las semillas de cardamomo también vamos a alcanzar el equilibrio, estableciendo un puente entre la frescura de la intuición y el poso profundo de la sabiduría.

Cebolla

La cebolla que abunda en nuestros huertos es una planta con un tallo de seis a ocho decímetros de altura, hueco e hinchado hacia la base. Sus hojas son fistulosas y cilíndricas; posee unas flores de color blanco verdoso y de su raíz fibrosa nace un bulbo esferoidal, blanco o rojizo, formado por capas tiernas y jugosas, de olor fuerte y sabor más o menos picante.

Aspirar el aroma de la cebolla nos ayudará a purificar la voluntad, tomando de su punzante aroma la energía necesaria para llevar a cabo nuestras acciones. El olor de la cebolla ha sido también utilizado para limpiar las casas de malas energías y preservar a niños y ancianos contra el mal de ojo, ya que al parecer estas dos etapas de la vida son las más delicadas en el ser humano.

Cedro

El cedro es un árbol muy apreciado por su madera que puede llegar a alcanzar una altura superior a los treinta metros. Antiguamente los bosques de cedros más apreciados estaban en el Líbano pero, en la actualidad, dichos bosques se están despoblando a marchas forzadas, quedando tan sólo unos pocos ejemplares de cedros.

El incienso de cedro era uno de los más valorados y extendidos en la antigua Mesopotamia. También en la época precolombina presidía los rituales de numerosas etnias de indios americanos.

Es de todos familiar el aroma del cedro. Sólo basta remontarnos a nuestra infancia, cerrar los ojos y aspirar el olor que desprendían los lapiceros procedentes de la madera del cedro rojo. O irnos a nuestro escondite secreto en donde depositábamos nuestra querida y aromática caja tallada en esta preciada madera que la hacía portadora de los objetos más mágicos.

La esencia de la madera del cedro es ideal para paliar los males de amor y el dolor que una negativa deja en nuestros corazones. Es también un poderoso revitalizante que, a través del efluvio que desprende, logrará que remontemos la precaria situación afectiva de forma rápida y positiva.

Ciclamen

No tenemos demasiados datos sobre esta hermosa flor; cabe decir que antiguamente crecía de forma espontánea por Europa y servía de poderoso laxante para los cerdos, de ahí que era conocida con el nombre genérico de «pan de puerco». Actualmente, dada su delicadeza, su cultivo requiere de numerosos cuidados y desde luego al precio que están las cosas no es para los porcinos.

El bulbo de esta flor ha sido utilizado desde siempre con fines medicinales. Su aplicación médica ha estado dirigida a paliar las molestas lombrices intestinales y el estreñimiento. No obstante, debemos advertir que es imprescindible controlar su uso y dosificación, ya que si ésta es abusiva, puede actuar en perjuicio y detrimento de la salud.

Recurriremos a la esencia de ciclamen cuando deseemos liberarnos de las situaciones restrictivas, potenciando con su olor una mayor libertad tanto física como mental.

Cilantro

El cilantro es una hierba que procede del norte de África y que en la actualidad se cultiva en la mayoría de las zonas templadas.

En el momento de la recolección sus frutos desprenden un aroma intenso y no demasiado agradable que queda anulado con el almacenamiento. La esencia del cilantro es muy aromática y se obtiene mediante destilación en corriente de vapor. Se emplea en la industria alimentaria, farmacéutica y cosmética.

Tanto en el sudeste asiático como en México y Centroamérica, acostumbran añadir las hojas frescas de la planta del cilantro a sus guisos. En caso de pretender probarlo debemos advertir que su sabor y su olor son muy penetrantes pudiendo acaparar en él todos los aromas del guiso.

Dicen que el cilantro favorece la buena memoria, pero de lo que no hay duda es de que su esencia es un potente provocador de los impulsos sexuales, favoreciendo la buena marcha de las relaciones íntimas al impregnarlas de todo el poder de la seducción.

Ciprés

La palabra ciprés procede del latín *cypressus* y hace referencia a un árbol que puede medir entre quince y veinte metros de altura. Posee un tronco derecho, ramas erguidas y cortas, copa espesa y cónica. Sus hojas son pequeñas, dispuestas en filas imbricadas; son persistentes y de tonos verdinegros. Tiene unas flores amarillentas terminales, y sus frutos son unas gálbulas de unos tres centímetros de diámetro. Su madera es rojiza y olorosa.

Hay quien afirma que la madera del ciprés es incorruptible; quizá por eso podemos ver cipreses plantados en casi todos los cementerios de los países mediterráneos. La creencia popular ahonda en que los cipreses orientan y guían al espíritu de los difuntos hasta su última morada, para así facilitar su paso hacia el más allá.

También debemos considerar que la esencia de ciprés, a través de su característico aroma, va a ayudarnos a suavizar la pérdida, tanto emocional como física, de los seres queridos. Aspirando su aceite podemos hallar la fuerza y el consuelo precisos para seguir adelante.

Clavel

Nos parece superfluo describir a la planta del clavel, bien conocida de todo el mundo, pero como curiosidad deseamos apuntar que su nombre más utilizado en botánica es el de *dianthus*, que significa «flor de Dios». Dicho esto y enmarcándonos en el tiempo, conviene saber que el clavel se viene utilizando desde el siglo IV de nuestra era.

El perfume que desprende el clavel ha sido reconocido por numerosas culturas como un aroma que facilita la iniciación y el conocimiento. No en vano, debemos recordar que su uso era extendido entre los druidas que lo utilizaban en sus ceremonias y rituales.

El aroma del clavel va a favorecer que el amor llegue a nuestros corazones, impregnándolos de alegría y sentido del humor, lo cual, evidentemente, va a representar un potente y favorecedor afrodisíaco espontáneo a la hora de potenciar las relaciones amatorias y sexuales.

Clavo

La especia del clavo es el capullo seco de la flor del clavero. Tiene la figura de un clavo pequeño, con una cabecita redonda formada por los pétalos y rodeada de cuatro puntas. Su color es pardo oscuro y su olor resulta profundo y agradable. Posee un sabor un tanto acre y picante, y es utilizado como elemento medicinal y condimento dietético.

Conviene advertir que el aceite esencial de clavo no debe tocar directamente nuestra piel ya que es un producto natural irritante.

Utilizaremos la fragancia penetrante del clavo para ayudarnos a incrementar o potenciar la memoria; además, es un poderoso aliado para reforzar la capacidad retentiva y de concentración.

Coco

El árbol del coco procede de América y es de la familia de las palmas. Suele alcanzar más de veinte metros de altura, posee unas características hojas divididas en lacinias ensiformes plegadas hacia atrás, y sus flores se presentan en racimo. Suele producir anualmente dos o tres veces su fruto.

De la nuez del coco no se desaprovecha nada: con la primera corteza se hacen cuerdas y tejidos bastos; con la segunda, tazas, vasos y otros utensilios; con la pulpa se elaboran dulces, cosméticos y se extrae el aceite y la esencia. En lo que respecta al resto de árbol, del tronco se destila una preciada bebida alcohólica y con las hojas se elaboran cestas, hamacas y recipientes domésticos y decorativos.

Como vemos, es fácil deducir que a un árbol con tan alto nivel de rendimiento le corresponde el aceite esencial que nos va a ayudar a conseguir un trabajo o a mejorar, a través de un ascenso o una mayor consideración, en el que ya poseamos. Conviene recordar también que aspirar el aroma de coco facilitará la intuición necesaria a la hora de vislumbrar el momento oportuno en que debemos dar el salto a otra empresa o afianzarnos en la que ya estemos.

Comino

El comino es una especia que se cultiva en América del Norte, Italia, Marruecos, Egipto, Siria y la India. Estamos hablando de una planta anual de modesto tamaño que casi nunca llega al metro de altura y posee flores de pétalos blancos o rosados que dan como fruto el comino.

De entre las muchas aplicaciones del comino, destacaremos su intervención en repostería añadiéndose a otras especias como el curry. También podemos usar el comino para aromatizar sopas y guisos de carne. Destacaremos, además, su deliciosa aportación al mundo de la licorería, sin olvidar que la infusión de comino es altamente digestiva.

Desde siempre se le han atribuido al comino propiedades y poderes mágicos. Recetas ancestrales nos señalan que era un poderosísimo protector contra los espíritus malignos y que éstos no podían resistir el contacto con su aroma.

Eneldo

La procedencia del eneldo es mediterránea. Desde tiempos remotos, fue utilizado por hebreos y egipcios. En la actualidad se cultiva en huertos aunque también puede producirse de forma espontánea.

Es una hierba anual con grandes hojas compuestas que abrazan el tallo. El eneldo puede alcanzar un metro de altura y los tallos florales sostienen compactas umberolas formadas de pequeñas flores amarillas. La planta que nos ocupa suele sembrarse en otoño y se recolecta en verano justo antes de la maduración.

Las hojas contienen aceites esenciales utilizados en la industria licorera. Las flores y las partes verdes se usan comúnmente para condimentar conservas y ensaladas.

Antiguamente se creía que el aroma rico y fuerte del eneldo tenía la propiedad de quitar el hipo. También se pensaba que era un buen estimulador del apetito.

En la cultura egipcia, el eneldo se empleaba como un ingrediente más en el arte de la momificación y, energéticamente hablando, tiene la propiedad de ralentizar situaciones.

Espliego

La palabra espliego en latín significa «espiga». Nos estamos refiriendo a una especie que abunda en la zona mediterránea. Presenta un aspecto parecido al del matorral que suele alcanzar un metro de altura. Posee hojas elípticas y flores en espiga que van del azul al violeta, de pedúnculo largo y delgado. Toda la planta es sumamente aromática. De sus flores se extrae un aceite esencial muy utilizado en cosmética, perfumería y farmacia. Las flores son un agradable condimento para la elaboración de carnes. La semilla de esta planta se emplea mayoritariamente como sahumerio.

Los romanos añadían flores de espliego al agua del baño y aún en la actualidad, con las espigas, se preparan saquitos que se introducen entre la ropa de los armarios ya que, además de impregnar la ropa con su agradable aroma, posee propiedades insectífugas y mágicas.

Eucalipto

El eucalipto es un árbol originario de Australia, aunque se ha aclimatado perfectamente a las condiciones ambientales del sur de Europa y norte de África, dada su adaptabilidad a climas áridos. Su altura, en casos singulares, puede sobrepasar los cincuenta metros de altura. El árbol presenta un tronco derecho y una copa cónica de hojas persistentes, olorosas, lanceoladas y colgantes. Está dotado de flores amarillas y sus frutos son capsulares con muchas semillas.

Del eucalipto se aprovecha prácticamente todo: el cocimiento de sus hojas es febrífugo, la corteza da un buen curtiente, y la madera se utiliza para la construcción y la elaboración de pasta celulosa. Plantar el árbol del eucalipto es de gran utilidad para sanear terrenos pantanosos.

La esencia de eucalipto es también utilizada en perfumería y farmacia dado su poder balsámico y expectorante, teniendo además propiedades antisépticas de las vías urinarias y calmantes contra las quemaduras.

Los efectos mágicos de la citada esencia nos van a ayudar a mejorar notablemente la salud y el tono vital, siendo un buen potenciador de la percepción y la agudeza mental.

Fresa

La fresa es una planta de la familia de las rosáceas. Tiene tallos rastreros y hojas vellosas blanquecinas por el envés, con dientes gruesos en el margen. Sus flores son blancas o amarillentas y su fruto es pequeño, casi redondo y algo apuntado. Posee un brillante color rojo, resultando agradable a la vista, suculento para el paladar, y olfativamente fragante.

Médicamente, la fresa tiene efectos astringentes, antidiarreicos y ligeramente diuréticos.

A efectos mágicos, el aroma de fresa es afrodisíaco, otorga atractivo y sensualidad a quien lo lleva, alegra el carácter y aviva el deseo sexual.

Ginseng

El nombre chino de la especie es *jen-shen*, que significa «hombre-planta». Crece en las zonas montañosas y húmedas de Asia oriental, donde es considerado como un bien muy preciado, dado su alto valor tanto económico como medicinal.

Las raíces de esta planta pueden alcanzar más de medio metro de longitud y se recolectan, por término medio, hacia los seis años de la siembra.

Se cree que el consumo de ginseng prolonga la vida y activa las funciones neuropsíquicas. Es, además, un poderoso tónico estimulante que revitaliza el organismo e, incluso, hay quien lo toma para recuperar la potencia sexual. El ginseng podemos tomarlo en polvo o elixir.

Sus efectos mágicos son evidentes: con la ayuda del ginseng nuestra vida sexual recobrará todo su vigor. Su consumo también creará una energía adecuada para incrementar nuestro rendimiento en el trabajo.

Hamamelis

El hamamelis es un pequeño árbol de unos cuatro metros de altura, cuyas hojas se parecen a las del nogal, y está provisto de flores amarillas de cuatro pétalos estrechos. La floración se produce en otoño después de la caída de la hoja y su fruto tiene forma de cápsula que libera, de manera explosiva, dos semillas de aspecto oval de un brillante color negro.

Es muy común en la vertiente atlántica de Norteamérica. Éste es un árbol muy conocido por los amerindios, que utilizaban su corteza y hojas con fines medicinales, pues creían que el hamamelis podía detener las hemorragias. Las hojas de este árbol poseen también propiedades astringentes.

En la actualidad, las aguas destiladas de hamamelis se utilizan en la elaboración de cremas y jabones destinados a la industria cosmética, siendo empleadas comúnmente en farmacia como loción astringente para baños oculares.

El uso mágico del hamamelis es indicado en los casos en que deseemos tener una mejor visión de futuro, con el fin de potenciar o prevenir los acontecimientos venideros.

Hinojo

El hinojo es una planta herbácea que posee unos tallos erguidos ramosos y estriados de más de un metro de altura. Sus flores, pequeñas y amarillas, se disponen en umbelas compactas. Su fruto es oblongo, con líneas salientes bien señaladas, y encierra diversas semillas menudas.

Toda la planta es aromática, posee un sabor dulce y se usa en medicina, dadas sus propiedades calmantes, digestivas, balsámicas y diuréticas. El hinojo también es utilizado en la industria alimenticia como condimento.

La antigua Grecia ofrecía a sus atletas guirnaldas de hinojo, además de las clásicas de laurel. Dicha planta precedía también a las fiestas religiosas.

El aceite esencial de hinojo debe ser utilizado con precaución y a muy pequeñas dosis; no debe ser ingerido. Sentada esta premisa, conviene señalar que el hinojo tiene marcadas propiedades mágicas, ya que es un potenciador tanto del valor como de los negocios, asegurando una larga vida profesional a quien lo utilice.

Jacinto

La palabra jacinto viene del latín *hyacinthus*. Es una planta anual de la familia de las liliáceas, originaria de Asia Menor, con hojas largas y lustrosas. Posee unas olorosas flores que pueden adquirir tonalidades blancas, azules, rosadas o amarillentas.

El jacinto florece en primavera y los antiguos aspiraban su delicioso aroma para tener hermosos sueños y apaciguar el dolor.

Las propiedades mágicas del jacinto propiciarán que las pesadillas no perturben nuestro descanso y que los sueños sean tranquilos y reveladores.

Jazmín

El jazmín es una planta originaria de Persia. Se cultiva en los jardines por el excelente olor de sus delicadas flores blancas, que poseen cinco pétalos en forma de embudo. Precisa evolucionar en climas benignos y templados, produciéndose la floración entre los meses de junio y octubre. Dice la tradición que las flores, para que mantengan toda su fragancia, deben recogerse antes de la salida del sol.

El aroma del jazmín es extraordinariamente exquisito pero caro; quizá éste sea uno de los motivos por los que, desde siempre, se le ha denominado el rey de las flores. En Malasia lo utilizaban para curar la septicemia y en China era recomendado para facilitar el parto.

Mágicamente, el uso del aroma de jazmín influirá directamente sobre las emociones, fomentando el deseo sexual y los sueños eróticos y lúdicos.

Jengibre

El jengibre es una planta original de la India. Posee unas hojas radicales, lanceoladas, y flores en espiga, de corola purpúrea. Su fruto es capsular, pulposo y con varias semillas. Posee una raíz nudosa y de tonalidad oscura por fuera, y de color amarillento en su interior. Su olor es agradable y su sabor, parecido al acre y picante de la pimienta. Suele utilizarse con fines médicos, cosméticos y alimenticios.

Son de todos conocidos los mágicos efectos del jengibre; aspirar su aroma nos va a proporcionar la energía y el valor precisos para enfrentarnos al difícil arte del amor. Además de ser un buen propiciador de la economía, hará que nuestra mente se mantenga alerta respecto a las oportunidades que nos vayan surgiendo.

Laurel

El laurel es un árbol que siempre se mantiene verde y puede llegar a crecer hasta seis o siete metros de altura. Posee un tronco liso, ramas levantadas y hojas persistentes y aromáticas. Está dotado de pequeñas flores de tonalidades blanco verdosas. Sus frutos tienen forma de baya ovoidea y negruzca, de aproximadamente un centímetro de longitud. Las hojas son muy usadas para condimentar; poseen, además, propiedades estimulantes de las funciones gástricas y hepáticas. El laurel también se utiliza en preparaciones farmacéuticas y de perfumería.

Los griegos utilizaban el laurel para coronar a los vencedores y, mágicamente hablando, será de gran ayuda en forma de baño ya que, a través de la inmersión, podremos acceder a limpiar y purificar los chakras.

Lila

La lila es una planta originaria de Persia, muy cultivada en jardines tanto por la belleza de sus flores como por la fragancia de su aroma. Crece en forma de arbusto ramoso que puede medir hasta cuatro metros de altura. Está dotado de hojas puntiagudas de consistencia blanda y de unas hermosas flores que, según la variedad, pueden ir del lila morado al blanco. Las flores están distribuidas en grandes ramilletes erguidos y cónicos. La lila posee un fruto capsular de color negro que contiene dos semillas.

La planta que nos ocupa fue introducida en Europa por los árabes, que exaltaron reiteradamente su hermosura en las narraciones del libro *Las mil y una noches*.

Antiguamente se creía que aspirar su aroma ahuyentaba los fantasmas purificando, a través de su olor, tanto el cuerpo físico como el astral de las personas o cosas. Considerado en la tradición mágico-erótica como un perfume muy potente, con el olor de lila activaremos la apertura de la kundalini.

Limón

La palabra limón procede de la nomenclatura árabe *laimun*. Es el fruto del limonero y podemos obviar su descripción ya que se trata de un fruto muy popular en prácticamente todos los rincones del mundo. Sus características principales se basan en el color de su piel, siempre amarilla, en la acidez de su jugo y en el aroma delicioso y persistente que desprende.

El limón es originario del sudeste asiático y fue introducido en el mundo árabe hacia el siglo IX d. C. Tardó un poco en llegar al continente europeo ya que su implantación debemos fijarla sobre el siglo XIV.

Bajo el prisma médico, debido a su alto contenido en vitamina C, se ha utilizado el limón para combatir el escorbuto y la anemia, siendo además un buen desinfectante natural.

Mágicamente, el aroma de limón es un gran revitalizador de la energía perdida, purificador de las malas vibraciones y protector indiscutible contra el mal de ojo.

Lirio

El lirio es una vistosa planta de hojas duras y erguidas que puede medir en floración unos ochenta centímetros. Posee hermosas y grandes flores terminales, dotadas de seis pétalos azules o morados y a veces blancos. Tiene frutos capsulares que albergan numerosas semillas.

Es una planta muy utilizada en cosmética dado que es un potente fijador del perfume. También es habitual en la industria licorera.

La influencia mágica del aroma de lirio nos abrirá las puertas a una mejor calidad laboral logrando, además, que nos enfrentemos al complicado mundo del trabajo con el adecuado sosiego interior.

Loto

Nos estamos refiriendo a una planta acuática de la familia de las ninfeáceas. Posee unas grandes hojas y olorosas flores solitarias de considerable diámetro. Su color puede adquirir una tonalidad blancoazulada. Sus frutos son globosos, parecidos a los de la adormidera, con semillas que pueden ser ingeridas una vez han pasado por el proceso de tueste y molienda.

El loto abunda actualmente, de forma espontánea, en las orillas del Nilo. Es una flor que data de miles de años, como se puede apreciar en numerosas iconografías chinas, japonesas e hindúes. En nuestra Edad Media, la flor de loto era el símbolo del «centro místico». También se la ha identificado como el símbolo del mundo y la imagen de la «rueda cósmica».

Por tradición ancestral, el loto simboliza la vida naciente y la evolución, por lo que su aroma podrá ser utilizado para trascender a planos más elevados de conciencia.

Madreselva

La madreselva es una mata de tallos largos, sarmentosos, trepadores y vellosos en las partes más tiernas. Posee hojas opuestas de color verde oscuro por el haz y glaucas por el envés. Sus flores son muy olorosas y se encuentra, de forma común, en los matorrales de toda la península Ibérica.

La madreselva ha sido utilizada desde siempre, por la magia y la tradición popular, para mejorar la economía y traer la abundancia tanto al negocio como al hogar.

Curiosamente, hay quien dice que aspirar el aroma de la madreselva ayuda a seguir, sin tropiezos ni tentaciones, las dietas destinadas a eliminar el sobrepeso.

Menta

La mitología nos habla de una ninfa, a la que llamaban Minta, que estaba terriblemente enamorada del dios Plutón y a la que Proserpina, celosa, convirtió en la planta que lleva su nombre.

Dicha planta que se cultiva en toda Europa, puede medir hasta cincuenta centímetros de altura, posee tallos erguidos, hojas opuestas y flores de tono rosado. La floración se presenta en el mes de julio y precisa de un suelo con abundantes sustancias orgánicas.

La menta tiene numerosas aplicaciones. Se consume con fines alimenticios, en la industria farmacéutica, cosmética y licorera. El aroma de esta planta nos protegerá de las energías negativas que puedan aparecer durante el descanso nocturno, purificará el ambiente de malas vibraciones y, además, será un componente efectivo si lo que deseamos es potenciar la energía sexual.

Mimosa

La mimosa es un árbol que necesita ambientes cálidos para desarrollarse. Procede de Australia y es muy valorada como planta ornamental. Sus preciosas flores amarillas se agrupan en racimos colgantes y se da la peculiaridad de que algunas especies de la familia de la mimosa son notables por los movimientos de contracción que experimentan sus hojas cuando se las toca o agita.

La esencia de la mimosa es muy apreciada en perfumería, siendo un excelente fijador de calidad dotado de un perfume dulce y delicado. En la industria cosmética se utiliza para la confección de cremas y jabones, y en la India usan sus hojas para preparar salsas de sabor un tanto picante.

A modo de apunte, cabe indicar que la flor de la mimosa fresca puede producir alteraciones respiratorias a las personas sensibles a procesos alérgicos.

El aroma de la mimosa lo utilizaremos con fines mágicos para potenciar sueños psíquicos ya que incrementa notablemente el don de la videncia, sin olvidar que esta bella flor olorosa servirá para abrir las puertas del amor de nuestros corazones.

Mirra

La mirra es un arbusto espinoso que crece en la zona oriental de África. El árbol permanece desnudo prácticamente todo el año, produciendo hojas exclusivamente en la época de lluvias.

Posee una corteza clara, y para recoger la gomorresina en forma de lágrimas, se practica una incisión en la base del tronco. El fluido que desprende es amargo y aromático, de un tono rojizo semitransparente, poseyendo una estructura frágil y brillante.

En la Antigüedad se tenía a la mirra como un bálsamo precioso. No olvidemos que la mirra fue uno de los obsequios que llevaron los Magos de Oriente como presente al niño Jesús y que, como podemos leer en el Libro de Ester, las mujeres hacían unciones con mirra durante los seis meses que destinaban a la purificación. En Heliopes, los egipcios quemaban mirra como ofrenda en el culto al sol. La mirra ya era conocida en el antiguo Imperio babilónico de la época de Moisés.

La persona que aspire el aroma amargo de la mirra antes de iniciar cualquier ritual o meditación observará que el perfume que desprende le ayudará a despertar la conciencia a estadios espirituales más elevados.

En un orden más crematístico, el olor de la mirra será de excelente apoyo si lo que se desea es la abundancia material y el bienestar económico.

Narciso

El narciso es una planta herbácea, anual y exótica. Posee unas hojas radicales largas, estrechas y puntiagudas. Sus olorosas flores están agrupadas en el extremo de un bohordo grueso de dos a tres centímetros de alto, presentando tonalidades blancas o amarillas. Tiene un fruto capsular y raíz bulbosa.

Existen varias versiones alusivas al origen de su nombre. La primera y más conocida nos cuenta que Narciso, hijo del río Cefeso, poseía una extraordinaria belleza y que Afrodita lo castigó a enamorarse de sí mismo, y murió ahogado al intentar aprehender su imagen en un estanque. La opinión de Plinio es que la palabra procede del griego *narkao*, que significa «embotamiento», y nos previene del efecto altamente peligroso de esta planta si su consumo se produce por vía digestiva. Tampoco deberá usarse su esencia en contacto con la piel.

No podemos olvidar que los chinos celebran el Año Nuevo con la flor del narciso, ya que piensan que la misma les proporcionará buena suerte. Por otra parte, en Oriente Medio lo utilizan como poderoso afrodisíaco.

Mágicamente, lo emplearemos para lograr un mejor carisma personal, y su aroma nos ayudará a ampliar tanto el campo de relaciones afectivas como a mejorar nuestra imagen.

Orégano

La palabra orégano proviene del latín *origanum.*. Es una planta herbácea vivaz y perenne que puede alcanzar el medio metro de altura. Sus hojas son pequeñas y ovaladas, y las flores de color púrpura en espigas. Planta aromática donde las haya, es amante de los terrenos áridos y soleados. Está extendida desde Europa hasta Asia, abundando mucho en los montes españoles. Se cosechan los brotes jóvenes, en plena floración, y se dejan secar en manojos a la sombra.

Las hojas y las flores del orégano se utilizan en el campo alimentario, en cosmética, perfumería y en la industria farmacéutica ya que la esencia de orégano tiene propiedades desinfectantes, digestivas, tónicas, sudoríferas y expectorantes.

Es un ingrediente indispensable si queremos atraer el amor. El aroma altamente seductor del orégano, consumido en forma de sopa, ayudará a potenciar todo nuestro carisma y nos predispondrá, favorablemente, en las citas amatorias.

Pachulí

Es una planta perenne que procede de Asia tropical y Oceanía. Actualmente el mayor productor de pachulí es Sumatra, que acapara más del ochenta por ciento de la producción. Las hojas de dicha herbácea son verdes, elípticas y con el borde dentado. Una vez recolectadas se desecan y transportan a los lugares de elaboración, donde se destilan en corrientes de vapor. El pachulí es muy oloroso y su aroma nos puede recordar ligeramente al almizcle. Se utiliza en perfumería y cosmética.

La exótica fragancia del pachulí nos ayudará a despejar las dudas y la ansiedad que bombardean nuestro cerebro, siendo además un poderoso aroma afrodisíaco que excitará, de forma natural, nuestro deseo sexual.

Perejil

Es una planta herbácea vivaz que puede crecer hasta setenta centímetros de altura. Está dotada de tallos erguidos y brillantes, que sostienen unas hojas pecioladas y lustrosas de color verde oscuro, partidas en tres gajos dentados. Sus flores son blancas o verdosas y las semillas, menudas y de tono pardo.

Crece espontáneamente, pero también se cultiva mucho en las huertas, dado que es un condimento sumamente utilizado. También se usa en cosmética, siendo uno de los ingredientes que habitualmente están presentes en numerosos perfumes masculinos.

Las partes verdes de la planta contienen un elemento tóxico denominado apiolo. Es por esta razón por lo que el perejil debe consumirse con moderación. Quizá sea por sus efectos por lo que desde la Antigüedad se ha dotado al perejil de efectos mágicos.

La tradición dice que para lograr que el dinero y la abundancia entren en nuestras casas y negocios, debemos presidirlos por un

San Pancracio «regalado» con un buen ramillete de perejil a los pies. El aroma fresco del perejil desprenderá una energía protectora que atraerá a lo que antes se denominaba «el vil metal» y que ahora no sólo tiene apariencia de papel sino también de plástico en forma de tarjeta de crédito.

Pimienta

Es el fruto del pimentero, árbol de unos seis o siete metros de altura, con hojas opuestas y ovales. Posee flores blancas que dan lugar a una baya redonda, carnosa y rojiza, de unos cuatro milímetros de diámetro que toma, cuando seca, un tono pardo o negruzco, mostrando una apariencia un tanto arrugada que contiene una semilla blanca y esférica. La pimienta es aromática y ardiente, de un rotundo sabor picante, siendo muy usada como condimento. A modo de curiosidad, apuntaremos que los aztecas aromatizaban el chocolate con granos de dicha especia.

Los efectos mágicos de la pimienta son ampliamente reconocidos a la hora de purificar el ambiente, alejando de nuestro entorno los espíritus negativos o maléficos que alteran tanto el carácter como la buena marcha de negocios y relaciones afectivas.

Pino

Es un árbol de la familia de las abietáceas, con las flores masculinas y femeninas separadas en distintas ramas. Su fruto es la piña; sus semillas, el piñón que se halla en su interior. Posee un tronco elevado y recto. Muy rico en trementina, tiene las hojas muy estrechas y persistentes en invierno, de forma punzante y puntiaguda.

La resina es uno de los productos obtenidos a partir de los pinos y se recoge en incisión practicada en el tronco. El aceite de trementina tiene propiedades antisépticas y balsámicas, se obtiene por destilación al vapor y el residuo se denomina colofonia, que es una masa resinosa ligera utilizada en la elaboración de colas y lacas. La esencia de pino también se usa en perfumería.

El pino era el árbol sagrado de los frigios y lo asociaban al culto de Atis. Hipócrates lo valoraba por sus benéficas influencias en todo tipo de enfermedades respiratorias, y tanto griegos como romanos, celtas y árabes conocían el beneficio de su aroma para sanar enfermedades relacionadas con el pulmón. No hay que olvidar que el pino era considerado como un símbolo de la inmortalidad.

Utilizaremos el perfume de pino para incrementar la economía, ya que la energía que desprende su olor atrae el dinero. Otro empleo mágico del aroma de pino irá destinado a protegernos de las energías nefastas ya que actúa a modo de pantalla protectora contra las vibraciones energéticas negativas.

Romero

Se trata de un arbusto con tallos ramosos de aproximadamente un metro de altura. Tiene las hojas opuestas, lineales, gruesas, enteras y de un lustroso tono verde por el haz y blanquecino por el envés. Su perfume es muy aromático y posee un sabor agradable y un tanto acre. Las flores del romero están dispuestas en racimos axilares de color azulado y su fruto es seco y presenta cuatro semillas menudas. Es muy común en toda la zona mediterránea y se utiliza en medicina, perfumería y en la industria alimenticia.

La costumbre de poner saquitos con ramas secas de romero en los armarios se debe, además de por la riqueza de su aroma, a sus propiedades insectífugas.

El aroma del romero tiene un sinfín de propiedades mágicas. Ya en la Antigüedad pensaban que aspirar su esencia era uno de los secretos para alcanzar una larga vida. Al romero también se le dan poderes efectivos para aumentar la memoria y lograr una mente despierta.

Rosa

El rosal es un arbusto de tallos espinosos, hojas verdes y flores llamadas rosas. Las rosas poseen una notable belleza, acompañada de su exquisita fragancia y una gran variedad de colorido. Tanto las tonalidades como el número de pétalos se consiguen aumentar según las características de su cultivo. Tiene aplicaciones en la industria licorera, cosmética, alimenticia y en perfumería.

El aceite esencial de rosa se obtiene por destilación en agua, corriente de vapor o absorción en materiales grasos. Lo caro de su precio se justifica si tenemos en cuenta que el rendimiento es de un gramo de concentrado por cada diez kilogramos de pétalos. Cuentan que el primer aceite esencial se destiló en Persia hacia el siglo X. Fue Li Shih-Chen quien divulgó los primeros tratados sobre las propiedades de su fragancia.

La rosa es una flor con «pasado». Debido a sus asociaciones con Venus, Baco y otras divinidades de parecidas características, se prohibió utilizar esta flor como símbolo de la Virgen María, pasando la azucena a ocupar su lugar.

El aroma de la rosa tiene efectos mágicos que inciden sobre el pensamiento y el amor. Favorece la fluidez en la comunicación, calma las disputas con la pareja y es un real afrodisíaco que actúa despertando los centros sexuales del cuerpo.

Ruda

Es una planta propia del área mediterránea. Posee tallos erguidos y ramosos de pueden sobrepasar el medio metro de altura. Sus hojas son alternas y gruesas. Las pequeñas flores amarillas tienen cuatro pétalos y el fruto capsular posee numerosas semillas negras, menudas y en forma de riñón. El aroma que desprende es fuerte y, a decir de algunos, un tanto desagradable.

La ruda se utiliza con fines medicinales ya que posee propiedades amenagogas, carminativas y digestivas; es, no obstante, tóxica en dosis elevadas y peligrosa si se consume durante la gestación. El aceite esencial de ruda también se emplea en la industria licorera, especialmente para la elaboración de bebidas amargas. Con aceite esencial de ruda se confeccionan jabones, cremas y algunos perfumes.

Salvia

Se trata de un arbusto perenne que tiende a adoptar una forma esférica con ramificaciones leñosas divididas desde la parte inferior. Puede alcanzar medio metro y sus hojas son estrechas de borde ondulado. Las flores en espiga presentan tonos azulados y violáceos.

La salvia es una planta medicinal que se ha estado utilizando desde la Antigüedad, no olvidemos que tiene propiedades antisépticas, astringentes, digestivas, tónicas y estimulantes. La industria licorera aromatiza con ella los vermuts y es también muy apreciada en cosmética y perfumería.

Debemos remarcar que el aceite esencial de salvia es ligeramente tóxico, por lo que deberá utilizarse con precaución y a muy bajas dosis. Es completamente desaconsejable en el caso de mujeres embarazadas.

Ya en el siglo XVI aspiraban el sabroso aroma de la salvia para tonificar la mente, ya que pensaban que a través de su aroma podían alcanzar la sabiduría. La tradición mágica europea señala que es un buen aroma para lograr bienestar y poder material.

Sándalo

Es un árbol originario de Malasia y la India que puede alcanzar gran tamaño. Posee hojas perennes, lanceoladas y dispuestas en espiga de flores cuyos tonos van del amarillo al rojizo.

La esencia de sándalo es comercializada por la industria cosmética y perfumista; por otra parte, son muy apreciados los muebles elaborados con esta madera pues conservan durante mucho tiempo el agradable aroma del sándalo.

En la India se tiene noticia de las propiedades del sándalo en tratados védicos del siglo V a. C., y en China, Li Shih-Chen lo aconsejaba con fines médicos ya que le daba virtudes contra el hipo y los vómitos. En Egipto era utilizado en los rituales de embalsamamiento de momias y en cosmética.

Como vemos, las aplicaciones del sándalo son antiguas y numerosas; no en vano, ha sido uno de los aromas más utilizados en ceremonias religiosas o mágicas. Si deseamos elevar la espiritualidad y favorecer la meditación, no dudemos en aspirar el delicioso perfume abordado.

Tomillo

Es un oloroso arbusto perenne de pequeño tamaño que pertenece a la familia de las labiadas. Posee unos tallos leñosos, derechos, blanquecinos y ramosos. Sus hojas son pequeñas y las flores suelen ser blancas o rosáceas. Es muy común en el Mediterráneo y el cocimiento de sus flores suele usarse como tónico estomacal y antiséptico. También se utiliza en la industria licorera, alimentaria, cosmética y perfumera.

El naturalista romano Plinio aconsejaba quemar tomillo en los templos y su recomendación iba especialmente señalada a los animales venenosos.

La sabiduría popular ha contrarrestado las molestias intestinales con sopas confeccionadas con tomillo y su cocción también era, y es, utilizada como desinfectante natural.

Los efectos mágicos del aroma del tomillo son extensos. Una bolsita de tomillo debajo de la almohada nos propiciará sueños agradables y plácidos y, añadida dicha planta a sopas, guisos e infusiones, ayudará a estimular la mente y revitalizar el cuerpo.

Vainilla

Es una planta originaria de México, provista de tallos largos, verdes, sarmentosos y trepadores. Posee hojas enteras de forma oval y sus flores son grandes, verdosas y de fruto capsular en forma de judía, de unos veinte centímetros de largo por uno de ancho, que contiene muchas simientes menudas. Dado su delicioso aroma, la vainilla se utiliza para aromatizar licores, chocolate, cosmética y perfumes.

En la magia popular americana, las mujeres usaban el perfume de vainilla para atraer a los hombres ya que su aroma actúa sobre el sistema nervioso, siendo un potente afrodisíaco que revitaliza el cuerpo y predispone a la sensualidad y la atracción sexual.

Violeta

Esta planta perenne es muy frecuente en toda la región mediterránea, proliferando en los lugares húmedos. Las hojas, dispuestas en roseta, son pecioladas con una forma parecida a un corazón. Sus fragantes flores están sostenidas por pedúnculos y los cinco pétalos presentan un precioso color violeta, color que da nombre a esta planta.

La planta de la violeta se utiliza en herboristería ya que posee propiedades emolientes y expectorantes, dándole también aplicación en la industria licorera, alimentaria, cosmética y perfumera.

Ya en tiempos remotos eran conocidas las propiedades del aroma de violeta y se servían de él para despertar el amor calmando las pasiones meramente carnales. Si deseamos levantar un negocio y purificar ambientes enrarecidos por malas vibraciones, no dudemos en usar el perfume de violetas; de su mano, vamos a lograr deshacernos de la competencia y atraer una mayor capacidad de ingresos.

4. Rituales y recetas

«He perfumado mi lecho con aloe y canela.»

LIBRO DE LOS PROVERBIOS

 ntramos en el apartado más práctico de este libro y quizá el más complejo, pues en él conoceremos rituales y posibilidades mágicas para llevar a cabo, mediante técnicas tanto ancestrales como modernas.

A la hora de la selección de los rituales que describimos seguidamente, nos hemos dejado guiar por dos parámetros: el de la utilidad y el de la práctica. Conjugando ambas condiciones veremos que todas las modalidades aromáticas que han sido abordadas en el libro aparecen reflejadas en uno u otro ritual y, de la misma forma, se han incluido rituales o prácticas que tienen relación prácticamente con todo tipo de especialidades mágicas.

De igual forma, somos plenamente conscientes de que podríamos haber incluido muchas otras temáticas al margen de las aquí descritas, pero generalizar tanto se hacía imposible; por ello, animamos a que sea el lector quien, investigando cual alquimista del aroma, elabore por sí mismo su propia selección complementaria. Aconsejamos a quien desee ir más allá que, cada vez que tenga un perfume entre sus manos o descubra un aroma, anote las sensaciones que le produce y, al tiempo, que anote para qué fin cree que podría servir dicho aroma.

Abecé del acto mágico

Si un libro como éste fuera leído por un experto o practicante de la magia, sabría perfectamente qué debe hacer antes de ponerse a trabajar en cualquiera de las recetas y prácticas destacadas a lo largo de esta vasta parte. Sin embargo, somos plenamente conscientes de que este ejemplar puede ser leído por todo tipo de personas y que muchas, seguramente la mayoría, desconocerán las artes mágicas. Este «abecé», está dedicado a ellas, ya que por mucho empeño que pongamos en la adquisición de los perfumes y esencias, si no sabemos qué actitud debemos seguir antes, durante y después de un ritual, de poco nos servirán.

De entrada destacaremos que la magia es el arte de la permutación y el cambio; por tanto, cada vez que efectuamos un ritual mágico estamos deseando cambiar o alterar una situación. En este sentido, no podemos improvisar ni ponernos manos a la obra en el primer lugar que encontremos. Debemos, por el contrario, pensar, reflexionar, visualizar y tener muy, muy claro para qué estamos poniendo la magia en marcha. Por todo ello aconsejamos al lector novel que antes de pasar a la acción, se prepare para ella de la siguiente forma:

1. Buscando un lugar en el que trabajar de una forma privada y sosegada. Lo más recomendable es utilizar una habitación de la casa en la que tendremos todos los utensilios precisos para llevar adelante la magia del aroma. Precisaremos unas cajas o estanterías en las que guardar los inciensos y esencias, las sales de baño, etc. Debemos contar también con recipientes de cristal y de cierre hermético, en los que albergar las plantas y flores que compremos en herboristerías u otras tiendas especializadas. No estaría de más incorporar un bloc de notas o libreta en la que anotar todo lo referente a los trabajos que desarrollaremos.

2. Al respecto de los productos a utilizar, todo buen mago no debería olvidar nunca qué necesita en su reducto mágico: incensarios, esencias, aceites esenciales, inciensos, sales, resinas, troncos, etc. No debemos olvidar velas y velones, telas, cartulinas, músicas adecuadas para la relajación o visualización, etc.

Con los dos puntos mencionados, ya tenemos algo de material sobre el que trabajar, pero faltará una parte fundamental: la ideológica y mental. Dicho de otra forma, la disposición. Decíamos con anterioridad que un ritual debe programarse y, por supuesto, nunca debe improvisarse; por ello, siempre debemos contar con una libreta de trabajo en la que anotaremos las intenciones que llevar a cabo. Además, antes del ceremonial correspondiente debemos disipar todas las dudas sobre el mismo; programarlo, pensar en la forma de llevarlo a cabo y tener claro qué día y en qué momento podremos ponerlo en práctica.

El empeño, la fuerza y la visualización son vitales para que la magia surja efecto. Si a la hora de programar un ritual lo hacemos con dudas, desgana y falta de creencia, casi con total seguridad que los resultados no serán positivos. En cambio, si a la hora de relajarnos nos centramos en lo que vamos a hacer, si cuando tengamos que visualizar lo hacemos con toda la fuerza y en el momento de invocar lanzamos toda nuestra energía, posiblemente obtengamos resultados muy interesantes. Claro que ello no es sinónimo de éxito, ya que las artes mágicas requieren un tiempo y paciencia y, en ocasiones, debemos repetir todo el ceremonial, bien porque nos hemos distraído o porque no lo hemos llevado a cabo como correspondía.

En el lado contrario, esto es, cuando la magia sale bien, obtendremos grandes sorpresas y buenos sabores de boca ya que, si bien al principio nos costará efectuar algunas relajaciones o visualizaciones y posturas, veremos que, con el tiempo, el cuerpo y la mente se acostumbran a los rituales y que cada vez es más fácil entrar en una sintonía determinada. De la misma forma, consideremos que, en un principio, no es recomendable alterar o cambiar los rituales: será la experiencia la que nos sugiera nuevos métodos y formas para llevar a cabo el mismo trabajo, pero el momento preciso lo marcará el destino.

Finalmente, dentro de este «abecé», conviene no olvidar los preceptos mágicos que nos dicen: jamás, pase lo que pase, debemos perjudicar a terceras personas con nuestra actitud, ya que, según una ley cósmica, la magia podría volverse en nuestra contra. Debemos tener presente que no se trata de eliminar adversarios, sino de potenciar nuestras capacidades. No tenemos que modificar la situación de los demás, sino hacer que la nuestra sea alterada para que las cosas vayan mejor.

A modo de advertencia final, recuerde la prudencia, la discreción y el silencio. El buen mago sabe oír, ver y, lo más importante, callar. No todo el mundo entenderá los procesos rituales que va a realizar; no se preocupe, no trate de convencer a nadie, recuerde que la sombra de la palmera no crece junto a la del roble, sin embargo, ambos son árboles. Tenga presente que no todos los seres humanos creen en las artes mágicas y debemos respetar todas las fuentes de opinión y creencia. Como afirmaba un gran mago: «La magia es sólo una, pero muchas las formas que tiene la fuente de manifestarse e infinitas las maneras para beber de ella. Sólo quien tenga los labios puros podrá mojárselos».

Ritual aromático de seducción

En la actualidad es difícil concebir un mundo en el que no exista la seducción. De hecho, parece que la sociedad de consumo, a través de los múltiples impactos multimedia, nos inste a que salgamos a la calle, como si de una batalla se tratase, para «cazar» a los demás.

Pero nadie debe llamarse a engaño, la seducción no pasará exclusivamente por una mirada provocativa, un perfume de moda, un cuerpo atlético o las prendas de temporada recomendadas por la moda. La seducción siempre será una forma de actuar, de llegar a los demás con interés. En definitiva, se trata de saber provocar, de lanzar una corriente de efluvios físicos, mentales y psíquicos hacia quien tenemos delante.

No dudamos de las capacidades que cada lector tendrá para provocar la interacción en los demás, pero en ocasiones, además de una buena charla, una mejor cena y la perfecta música ambiental, es preciso crear un entorno mágico que nos ayude, todavía más, a lograr los propósitos marcados, ahí será precisamente donde hagan acto de presencia algunos aromas.

De entre los muchos perfumes que podemos encontrar para potenciar la afectividad y la seducción, destacaremos éstos: afrodisia, azahar, cardamomo, clavel, rosa o pachulí. Veamos seguidamente algunas prácticas interesantes.

Para ambientar

Si deseamos generar un ambiente agradable en nuestra casa, o en una estancia de la misma, podemos recurrir al aroma de afrodisia. Adquiriremos una botellita de esencia de afrodisia en una tienda especializada y la envolveremos en una prenda íntima.

Tomaremos el paquete entre las manos y nos concentraremos en nuestra intención de tener la capacidad de seducir. Si conocemos a la persona que vendrá a nuestra casa, visualizaremos su imagen en actitud receptiva.

Transcurridos unos diez minutos de visualización, procederemos a depositar dos gotas del aroma mencionado en cada una de las esquinas de las diferentes estancias de la casa en las que podamos encontrarnos.

Debemos efectuar este procedimiento unas tres horas antes de que se produzca el encuentro.

Para potenciar nuestra imagen

Si deseamos potenciar nuestra imagen de seducción, debemos perfumar las prendas que utilizaremos para un encuentro; ahora bien, en función de cómo pretendamos que sea la cita, usaremos un perfume u otro. Como soporte vamos a recurrir al incienso, ya sea en barrita o en cono.

Seleccionaremos todas las prendas que nos pondremos en la cita que esperamos tener. Y las colocaremos todas juntas, encima de la cama, en el mismo orden en que nos las pondremos. Dicho de otra forma, como si nuestro cuerpo estuviera en su interior. No olvidaremos ni zapatos, ni bolsos o complementos, como anillos, relojes, pulseras, etc.

En coincidencia con cada uno de los cuatro puntos cardinales, situaremos un incienso del aroma más conveniente para nuestros propósitos y lo prenderemos con cerilla de madera, siempre en el sentido de las agujas del reloj, esto es, primero el del norte, luego el que esté en el este, después el del sur y, finalmente, el del oeste.

Nos situaremos a los pies de la cama, a una distancia de entre cincuenta y cien centímetros del conjunto ceremonial. Respiraremos profundamente cinco veces y procederemos a relajarnos, dejando que el aroma también se acerque a nosotros. Respirando otra vez unas cinco veces muy intensas, nos concentraremos pensando en el momento que pretendemos vivir.

Visualizaremos el encuentro y el deseo que tenemos sobre el mismo. Si pretendemos que sea una cita de comunicación y acercamiento, nos veremos hablando con la otra persona. Si lo que deseamos es una seducción rápida, veremos en nuestra mente una imagen que refleje dicha situación. Si lo que buscamos es una seducción sexual, debemos visualizar un encuentro que tenga dichas connotaciones.

Una vez hayamos visualizado por espacio de cinco minutos, repetiremos mentalmente entre diez y quince veces: «Hoy lograré mis propósitos con (nombre de la persona)».

Abandonaremos el lugar y dejaremos que los inciensos se consuman en su totalidad, impregnando nuestras prendas con su aroma. Es importante que esta operación esté concluida por lo menos un par de horas antes de ponernos la ropa, ya que un exceso de aroma podría ser perjudicial.

Rituales como los anteriores son de gran eficacia y sencillez, pero debemos acompañarlos de una actitud positiva y proyectiva, es decir, debemos ir al encuentro pensando en que el aroma usado para el ritual nos ayudará, pero sin caer en el error de pensar que nosotros no tenemos que poner nada de nuestra parte. A este respecto lo más recomendable siempre será que, al producirse el encuentro, llevemos a la pantalla mental la imagen que hemos formado durante la invocación.

Los perfumes o aromas, en incienso, que debemos usar para

potenciar la imagen de seducción serán: afrodisia para cautivar, ámbar para lograr seducciones a largo plazo, fragancia de clavel si queremos enamorar, y aroma de vainilla si la seducción debe ser de índole sexual.

Práctica mágica de atracción

Aunque a primera vista la seducción y la atracción pueden parecer lo mismo, no lo son. De hecho la seducción es tender una fina y dorada red invisible o cautivar con cualquier fin, mientras que la atracción es un acto más directo en el que intervienen, entre otras cosas, los impulsos primarios, que hacen que tanto la física como la química empiecen a funcionar de forma explosiva. Diremos que la magia de atracción consiste básicamente en hacer que la otra persona venga irremediablemente hacia nosotros sin razón aparente, sin cuestionamientos.

Son bastantes los aromas y perfumes que pueden ayudar a la atracción de índole afectiva y también sexual; de entrada destacaremos que pueden utilizarse el cardamomo, las rosas e incluso el pachulí.

Dentro del amplio apartado que significan los rituales basados en la atracción, nos ocuparemos principalmente de dos, uno para cuando la pareja todavía no existe y otro específico para parejas ya establecidas.

Atracción para futuras parejas

Para llevar a cabo este ritual debemos comprar en una floristería seis rosas rojas, otras tres amarillas y el mismo número de rosas blancas. Contaremos también con agua de río o lago; en su defecto, embotellada. A todo ello le debemos añadir una fotografía de la persona a quien deseamos cautivar o, si no disponemos de ella, una cartulina en la que escribir su nombre.

En un día de luna, preferentemente creciente, depositaremos, en un recipiente ancho, un litro de agua de río o lago o de agua embotellada. La dejaremos toda la noche al raso.

A la mañana siguiente, cortaremos los tallos de todas las rosas y procederemos a picarlos, para después depositarlos en el interior del recipiente con agua. Por lo que se refiere a los pétalos, debemos machacar los de las rosas blancas, que tienen la misión de purificar, así como los de las rosas amarillas, cuya misión es energetizar el agua. Añadiremos la fotografía o cartulina con el nombre de la persona en el recipiente y lo dejaremos al sol y a la serena por espacio de un día.

Por la noche, antes de acostarnos, debemos coger las seis rosas rojas y separar todos sus pétalos que colocaremos a lo largo del cuerpo. Cubriremos los pétalos de rosas con una toalla a fin de no romperlos y evitar que se nos enganchen.

Nos iremos a dormir, pero antes debemos relajarnos y visualizar la intención de atracción, pensando que el efluvio energético de nuestro cuerpo llegará hasta los pétalos. También es importante que veamos el rostro de la otra persona.

Por la mañana debemos recoger cada uno de los pétalos al tiempo que diremos: «Serás mía/mío». Todos los restos de las rosas debemos incluirlos en el recipiente que contiene el agua y dejarlos reposar en ella por espacio de un día más.

Al día siguiente procederemos a ducharnos con total normalidad y tras ello, con la ayuda de una esponja, que humedeceremos en el recipiente que ha sido ritualizado, mojaremos todo nuestro cuerpo al tiempo que pensamos en cautivar a la persona objeto de nuestros deseos. Tras la ducha, debemos tirar todos los elementos empleados a la basura.

Atracción para parejas ya establecidas

Muchas personas creen que por el hecho de tener ya pareja no deben preocuparse en fortalecer sus vínculos o incluso en estrechar todavía más el aspecto emocional de la misma. Según los psicólogos es un gran error dejar «secar» la relación de pareja con la monotonía y la costumbre; de hecho, estos especialistas del comportamiento de la mente humana afirman que deberíamos esforzarnos al máximo por potenciar el vínculo cuando estamos en pareja.

Dejando a un lado los consejos anteriores, pensamos que la magia puede ser efectiva cuando dos personas, que forman una pareja, se han distanciado, ya sea por una discusión o por las tensiones laborales o familiares. Es en estos casos cuando vale la pena recurrir a las artes mágicas que nos ayudarán a limar asperezas.

Un buen ritual que compartir con nuestra pareja será el realizado utilizando el aroma del cardamomo, una semilla oriental de supuestos efectos afrodisíacos y que goza de una gran reputación en la cultura musulmana y en los rituales mágicos de aquellas latitudes.

Para proceder con este ritual de acercamiento, vamos a recurrir a los aromas del cardamomo, clavel, café y pachulí. Todos estos ingredientes nos ayudarán no sólo a crear la deseada atracción entre los dos miembros de la pareja, sino también a generar un ambiente agradable en el que poder conversar o retomar ciertos temas, tal vez, un poco candentes.

En primer lugar debemos preparar un ambiente adecuado, es decir, tenemos que buscar un momento y día en el que sepamos que nuestra pareja podrá compartir el «café mágico» con nosotros. Escogido el día, procederemos a comprar una vela de color blanco, que tendrá el poder de apaciguar las energías negativas y dar pureza. Precisaremos también un buen café, del que usamos normalmente para la cafetera.

Cabe decir que el café es una especie olorosa muy importante a la que recurriremos en otro apartado de este libro y que, entre otras virtudes, posee la de ser apaciguador, canalizador de la armonía y un eficaz remedio contra el mal de ojo. Por lo que se refiere al aroma de clavel, nos bastará con su esencia o con el aceite esencial de este aroma.

Tomaremos la vela de color blanco con la mano izquierda; paralelamente, humedeceremos con la esencia de clavel los dedos índice y pulgar de la otra mano. Luego procederemos a «vestir», es decir, uncir la vela con el aceite esencial de clavel. Al tiempo que uncimos, operación que debe realizarse siempre en dirección a la base de la vela, debemos pensar en frases como: «Que el poder de este aroma me ayude a limar las asperezas y superar las adversidades», o bien «Con este aroma de clavel las energías se acercan». Tras la unción, debemos retener en la mente la imagen del otro miembro de la pareja y pensar: «Cada vez más te acercarás a mí, sin poder remediarlo».

Dejaremos a un lado la vela y procederemos a preparar el café. Tomaremos las cucharillas de café (preferentemente, molido) que consideremos necesarias y las depositaremos sobre un papel blanco. En estado de concentración, al tiempo que miramos fijamente el café, diremos: «Este elemento servirá para generar un buen ambiente de conversación y estancia».

Pasados unos cinco minutos de concentración sobre el café, procederemos a tomar los granos de cardamomo que habremos comprado en una herboristería o tienda especializada y los abriremos para extraer de la semilla su contenido. Es muy importante que controlemos la dosis de cardamomo que vamos a poner en el depósito de la cafetera, ya que en exceso aromatizará más de la cuenta y el sabor podría ser incluso desagradable. Lo recomendable es un par de semillas por cada cafetera de dos tazas.

Juntaremos los pequeños granitos de cardamomo con el café, lo mezclaremos bien y diremos en voz alta: «Estas semillas, manifestación del poder, el vigor, la fuerza y el sexo, atraerán irremediablemente a (nombre de la persona) hacia mí». Tras la invocación, podemos depositar el contenido de la mezcla en la cafetera, y ya cargada, aguardar hasta el momento de ponerla en marcha. Con la operación anterior, el ritual se dará por concluido.

Si bien con las acciones anteriores el ritual ya ha finalizado, todavía nos faltará la acción del encendido de la cafetera y de la vela. Es importante que no adelantemos acontecimientos y que a la hora de prender la vela, lo hagamos con una cerilla de madera. La vela blanca debe encenderse unos cinco minutos antes de comenzar a tomar el café, para que vaya ambientando el lugar mientras lo preparamos.

Al mismo tiempo que encendamos el fuego para el café debemos repetir mentalmente la frase de atracción pronunciada en el momento de trabajar el cardamomo. Dejaremos que el proceso se desarrolle con normalidad y después serviremos el «bebedizo» intentando generar un ambiente agradable.

Algunas personas que han probado este ritual afirman que tras el mismo su relación de pareja ha cambiado, al menos momentáneamente, encendiéndose una cierta pasión. No debe extrañarnos ya que el cardamomo, especialmente si se mezcla con una bebida alcohólica, tiene efectos que liberan la inhibición.

Bolsa perfumada para amansar

A muchas personas no vinculadas a los procedimientos mágicos les resulta ciertamente chocante el término amansar cuando se relaciona con las temáticas de la vida cotidiana y, sin embargo, podemos encontrar grandes preparados específicos para este arte de dar tranquilidad a los demás.

Un aroma amansador no es algo que nos vaya a quitar la voluntad ni que obligue a los demás a llevar adelante algo en lo que no estén de acuerdo. Se trata, como veremos seguidamente, de una estrategia para calmar los ánimos más efervescentes.

Los «amansadores» son, por normal general, una serie de compuestos olorosos que pueden distribuirse por la casa, en los despachos o incluso en centros públicos, y que, gracias a su aroma, facilitan la comunicación entre las personas y permiten un sosiego. Así pues, serán ideales para lugares de reunión en los que las tensiones sean habituales, como salas de juntas, despachos de proyectos, etc. De la misma forma la bolsa que vamos a preparar puede ser de gran ayuda en una casa, concretamente en el salón, si prevemos que pueden producirse discusiones o altercados. Por supuesto, serán de gran efectividad para mitigar las malas vibraciones que se generan por una visita no deseada.

Para realizar este ritual necesitaremos una bolsita de tela lo más natural posible, ya sea de seda o terciopelo, teniendo en consideración estos puntos:

▲ Usaremos los colores verdes en tonos pastel para amansar situaciones de mal humor derivadas de la salud, como las malas relaciones que se producen por los cambios de humor ante la enfermedad.

▲ Si el apaciguamiento a llevar a cabo tiene que efectuarse en temas de trabajo, distinguiremos entre dos posibilidades: el trabajo a nivel relaciones humanas, para las que usaremos bolsitas marrones, y el mundo laboral a nivel económico, en cuyo caso será el color naranja el más adecuado.

▲ Para amansar la mente, es decir, para lograr que se concentren los pensamientos e ideas de alguien muy alterado en el ámbito emocional, usaremos la bolsa lila o azul cielo. Estas bolsas suelen ser muy efectivas cuando tenemos que tratar amansamiento en temas de estudio, como son los nervios en las épocas de exámenes.

▲ Finalmente si el amansamiento es a escala sentimental, distinguiremos: el color rojo para apaciguar los ánimos sexuales y el rosado para los de índole emocional o puramente romántica.

El lector quizá se extrañe de la importancia que le damos al color de la bolsa, cuando todavía no nos hemos referido a las plantas o aromas que incluiremos en su interior; pues bien, cabe resaltar que, en magia, una tonalidad afecta directamente al propósito del ritual y que los mismos ingredientes actúan en diferentes direcciones en función del color que se armonice con ellos.

El primer paso consistirá en preparar el saquito o bolsa de amansamiento; para ello procuraremos la tela adecuada o nos compraremos uno ya cosido. En el interior del saquito colocaremos un papel de color blanco en el que escribiremos la situación que deseamos amansar. En el caso de que pretendamos calmar a una persona, pondremos en el interior del saco su fotografía y un papel con el nombre, dos apellidos y, a ser posible, su fecha completa de nacimiento. Con estas operaciones, la primera fase del ritual ya estará concluida.

Por lo que se refiere a los aromas que vamos a utilizar, la mejor recomendación siempre es recurrir al aceite de borrajas, ya que tiene la propiedad de mitigar la violencia. Por otra parte el aroma de bergamota será ideal para dar armonía y paz. Complementaremos el saquito o bolsa con unos granitos de anís, ideales para la reflexión, y eneldo, que tiene el poder de perpetuar y detener. Finalmente añadiremos alcanfor, que limpiará dando vitalidad.

Tres días después de haber introducido en la bolsita los ingredientes descritos procederemos a humedecerla con cinco gotas de aceite de borrajas. Tras mojarla diremos en voz alta: «Que esta esencia ayude a mitigar la violencia y relajar el ambiente». Esta frase debemos repetirla entre cinco y diez veces. Después dejaremos secar la bolsa al raso por espacio de dos días.

Tras el secado de la bolsa debemos introducir en su interior una bola de algodón de unos cinco centímetros de diámetro que mojaremos con cinco gotas de bergamota, cinco granos de anís, esencia de alcanfor y tres ramilletes de eneldo.

Cerraremos la bolsa y la dejaremos reposar al sol y a la serena por espacio de dos días más; de esta forma, desde el principio hasta el final habremos tardado siete días en confeccionarla. El séptimo día, la tomaremos con ambas manos, entraremos en relajación y visualizaremos una imagen que tenga relación con el uso que deseamos darle. Finalizaremos el ritual llevando la bolsita encima de nosotros al lugar donde se encuentra la persona o situación que pretendemos amansar.

Otro remedio para amansar las situaciones si no deseamos recurrir a las bolsitas ceremoniales será quemar unos granitos de anís sobre un carboncillo candente unos diez minutos antes de que se produzca un encuentro que puede ser conflictivo. De esta forma obtendremos un discreto ambientador del hogar o la oficina que calmará los ánimos. Por supuesto a la hora de quemar el anís debemos visualizar la situación que amansar.

Bolsa de la tonificación sexual

Dicen los expertos que el sexo siempre pasa por la cabeza; en este caso apuntaremos que ciertamente pasará por un estado anímico y emocional, de ahí que se haga necesario calmar las emociones y revitalizarlas para que los encuentros sexuales sean más productivos e interesantes. Lo cierto es que la tonificación sexual no pasa sólo por el acto en sí, sino también por la capacidad que tengamos para seducir a la otra persona. Por ello, al margen del ritual que describiremos en este apartado, recomendamos al lector que observe las indicaciones sobre la seducción y atracción.

La atracción sexual en magia requiere de mucho esfuerzo energético, no estando de más que, para perpetuar los efectos del sortilegio o ceremonial realizado, en el mismo momento del acto se visualicen las mismas imágenes invocatorias formuladas al inicio del ritual. Es decir, si visualizamos un encuentro sexual deseando que se cumpla, cuando sea una realidad, lo recomendable es que volvamos a ver esa imagen.

En las artes mágicas encontramos numerosos sistemas para provocar la pasión entre los amantes; de hecho, prácticamente todos tienen una relación directa con los aromas. De manera fácil, antes de pasar al ritual que nos ocupa destacaremos algunos «remedios de emergencia» para vivificar la sexualidad, extraídos de antiguos tratados del arte del amor.

Si deseas fogosidad lleva a tu pareja ante los aromas de jazmines o haz que dichas flores estén en tu alcoba.

Cuando quieras que alguien tenga sueños de amor, lujuria y frenesí, déjale dormir al abrigo del aroma de los jacintos. Sus sueños serán profundos como los de un niño, pero con la malicia de un adulto.

Pon un poco de menta en la ensalada del mediodía, unas hojitas en el té de la sobremesa, un ramillete adornando el pescado de la cena y una planta en el alféizar de la ventana, y ríndete a todo tipo de pasiones.

Lo cierto es que las esencias de jazmín, jacinto y menta tienen propiedades altamente sexuales; ahora bien, aconsejamos que, además de seguir con las indicaciones casi poéticas de la Antigüedad, el lector que lo desee entre en relajación y visualice sus encuentros sexuales, antes de preparar cada una de las estrategias mencionadas.

Dejando ya a un lado la parte más antigua de los remedios de la fogosidad, veamos cuál es la forma correcta de preparar esta bolsa para tonificar sexualmente. Para empezar debemos aprovisionarnos de una bolsa de tela roja, ya que este color marcará las pautas energéticas, pasionales y sexuales. Nos proveeremos también de una vela de color rojo, esencia de clavel, esencia de azahar, aroma de ginseng, esencia de fresas y dos hojas de menta. A todo ello le añadiremos una fotografía de la persona deseada o bien un trozo de tela de alguna prenda personal.

Empezaremos por uncir la vela de color rojo con la esencia de clavel y la dejaremos secar por espacio de una hora. Transcurrida dicha hora unciremos de nuevo la vela con la esencia de azahar. Después nuevamente dejaremos que, por espacio de una hora, el cirio absorba los aromas.

Tomaremos la bolsa de color rojo y la mojaremos con aroma de ginseng, preferentemente en esencia o aceite; si por dificultad no encontramos ginseng en esta modalidad, usaremos incienso en cono. En este caso, machacaremos el cono de incienso hasta quedar reducido a polvo y lo depositaremos en el interior de la bolsa. Tomaremos una hoja de menta, sobre ella depositaremos la fotografía o el trozo de tela de la persona amada y nuevamente otra hoja de menta para cubrir todo el conjunto.

Encenderemos la vela con una cerilla de madera. Una vez prendida, la situaremos sobre las hojas de menta y la fotografía o tela, y la inclinaremos para que pueda gotear y cubrir dicho conjunto con las gotas de cera. Es muy importante que en el momento de derramar la cera pensemos en la acción que deseamos, es decir, que nuestro amante caiga rendido a los pies y que se sienta tonificado a nivel sexual, tanto de mente como de cuerpo.

Debemos usar al menos media vela en goteo para cubrir el conjunto de la menta e ilustración, de forma que todo él quede cubierto por la cera. Cuando esté perfectamente cubierto y un tanto endurecido, procederemos a mojarlo con la esencia de la fresa. Lo dejaremos secar y lo guardaremos todo en el saquito o bolsa.

Concluiremos el ritual sosteniendo entre ambas manos la bolsa al tiempo que invocamos: «Por el poder de todos estos aromas aquí condensados, pido a las entidades de la naturaleza que den fuerza, vigor, apetencia y deseo a (nombre de la persona) para que se entregue a mí sin dudarlo». Tras esta invocación, que repetiremos entre cinco y diez veces, visualizaremos un encuentro sexual en nuestra mente, dando así por finalizado el ritual.

Como es normal, nuestros amantes no caerán rendidos a los pies tras acabar el ritual, debemos esperar un poco y permitir que los aromas les influyan; por eso, si se trata de nuestra pareja, debemos colocar el saquito bajo su lado de la cama. Si no convive con nosotros, lo dejaremos bajo nuestro lado ante la imposibilidad de ir a su domicilio.

Cuando llegue el momento de tener el encuentro sexual, debemos encender la vela que contiene la unción, para que sus energías influyan en el estado de ánimo. De igual forma será importante que el saquito ceremonial se encuentre bajo el lecho amatorio. Como última medida no estaría de más que al iniciar los escarceos de aproximación sexual, mantengamos en la mente la imagen que ya habíamos usado para el ritual.

Como medida complementaria podemos mascar un par de hojas de menta fresca unos minutos antes de que se realice el encuentro; ello, además de dar frescor a nuestra boca, nos ayudará a emitir deseos y pasión.

Polvos de amor para todo uso

El amor así, a grandes rasgos, es todo un mundo. Es muy difícil centrar el amor en una sola temática, ya que deberíamos hablar de seducción, establecimiento de pareja, relaciones entre los miembros, problemas derivados de celos o envidias, adulterios, etc.

Como es lógico, cuando vivimos el amor somos capaces de permanecer en un estado «de gracia» muy singular. Las cosas que nos rodean nos parecen diferentes, la climatología se percibe de otra forma y en definitiva todo cambia. También es verdad que cuando, en lugar de tener amor, lo que se producen son problemas, la persona desearía cambiar de pareja. Sin entrar en todas estas dudas, a veces existenciales, veremos seguidamente que son muchas las adversidades que pueden solucionarse, o al menos intentar remediarse con la ayuda de los aromas.

Vamos a describir seguidamente algunos rituales y ejercicios de sencillo uso que nos ayudarán a mitigar problemas o situaciones adversas y que nos propiciarán suerte afectiva.

Para todos los casos recurriremos a los polvos aromáticos. Casi todas las esencias pueden transformarse en polvo, para ello en ocasiones tendremos que usar el incienso en barrita o cono y desmenuzarlo y otras veces emplearemos el proceso natural triturado y secado cuando el incienso ya llega en ese estado.

Para desmenuzar un incienso en barrita lo mejor será disponer de un cuchillo cuyo filo sea un poco grueso. Sostendremos con una mano el bastoncillo de incienso y con el cuchillo en la otra rasparemos la barra para obtener la sustancia que generalmente va adherida a un fino palito de madera. Si el incienso de barrita no contiene la madera central, podemos proceder a desmenuzarlo en el interior de un mortero con la ayuda de la mano de mortero.

Si tenemos que convertir en polvo conos de incienso, tenemos dos opciones: o los rallamos con la ayuda de un rallador de cocina, o los pasamos por el molinillo de café tras haberlos despedazado un poco. Cualquiera de los dos sistemas será válido, si bien, en todos los casos, como tendremos que efectuar mezclas recurriremos finalmente al mortero para ello.

Si se trata de desmenuzar incienso del tipo «incombustible», es decir, del que no se prende sino que se quema sobre un carbón, bastará con que lo reduzcamos a polvo recurriendo de nuevo al mortero.

En el caso de tener que reducir a polvo elementos naturales como las flores, en primer lugar debemos secarlas para lo que vamos a recurrir a un papel secante. Las envolveremos en dicho papel y las presionaremos dejando una serie de libros bien pesados encima. El antiguo remedio de prensar las hojas en el interior de un libro para que se sequen está bien, pero lo que nos interesa es que el aroma no quede en el libro sino en un papel secante que posteriormente reduciremos a polvo.

Una vez tenemos la flor seca, podemos extraerla del papel secante y molerla. Por lo que se refiere al papel, lo cortaremos en pedazos muy pequeños y también los reduciremos al máximo con la ayuda de un aparato eléctrico.

Diferentes aplicaciones de los polvos de amor

▲ Para evitar discusiones y crear armonía, debemos contar con una mezcla de café molido, ciprés y comino. La proporción adecuada será una cucharadita de cada una de estas esencias.

▲ Para superar las adversidades en el amor, mezclaremos dos cucharaditas de polvo de canela con una de caléndula, media de azucena y otra media de ajo.

▲ Si deseamos evitar los celos o solucionar una situación afectiva desagradable, debemos mezclar tres cucharaditas de ruda en polvo con dos de salvia, una de sándalo y media de bergamota.

▲ Para encender las pasiones lentamente, debemos emplear dos cucharadas soperas de polvo de rosas rojas mezcladas con una de azahar, una de cilantro, media de clavel y otra media de pachulí.

▲ Para superar infidelidades o adulterios prepararemos una cucharadita de pachulí, otra de espliego, media de corteza de limón y un cuarto de esencia de fresas.

▲ Para mejorar la intimidad física entre la pareja, vamos a recurrir a dos cucharadas soperas de lilas, mezcladas con una de aroma de lirio, otra de mirra y un cuarto de vainilla.

▲ Para comunicaciones más fructíferas sin intervenciones de terceras personas, debemos proceder a mezclar una cucharada de aroma de incienso de pino con otra de incienso de tomillo, media de romero y otra media de jengibre.

▲ Para la atracción mutua usaremos (sólo en dormitorios) una cucharada de aroma de fresas con otra de vainilla, más media de azahar y otra media de narciso.

▲ Por supuesto en todos y cada uno de estos rituales, tanto al prepararlos o al convertir en polvo los ingredientes, como en el momento de lanzarlos sobre una superficie, debemos pensar en el motivo o deseo que tenemos para ello.

Normas de uso

Los polvos siempre deben aplicarse en superficies de paso, para que su presencia no sea excesivamente perceptiva a un nivel visual pero sí oloroso. Debemos tener cuidado de no aplicar nunca los polvos en prendas de cama, ni directamente sobre una pieza de ropa que luego podamos ponernos, ya que quizá sin querer podríamos intoxicarnos. De igual forma nunca tiraremos los polvos en un bebedizo a no ser que se hayan preparado para tal fin, lo cual no es el caso en las recetas detalladas; podemos depositar los polvos en:

▲ El interior de armarios roperos, siempre en la base o en zonas que no tengan contacto directo con las prendas íntimas.

▲ Bajo la cama, preferentemente en una zona media, ni muy cerca de la cabecera ni hacia los pies.

▲ En lugares de paso, como recibidores o pasillos de una casa o despacho.

▲ En los coches, siempre lejos de los lugares en los que la salida del aire pudiera distribuirlos de forma molesta.

▲ En los ceniceros, siempre que éstos sean cerrados o dispongan en su interior de las clásicas arenillas olorosas.

Ambientador provocativo

Ya hemos visto en otros apartados que la seducción y el carisma de la mano de los aromas pueden resultar de gran efectividad, pero todavía podemos apuntar un ambientador que sea creado explícitamente para provocar, en este caso, una relación afectiva.

De entrada el ambientador debe regalarse para que la otra persona lo tenga en su casa o, en su defecto, debe estar en la nuestra cuando dicho individuo acuda a una cita. Por ello, lo mejor será recurrir a una botellita de olor, que será decorativa además de... mágica. Para proceder vamos a comprar una pequeña botella de color rosa para enamorar; rojo para fraguar una relación intensa, o transparente, si deseamos una provocación más lenta.

En el interior de la botella depositaremos aroma de rosas en modalidad de sal de baño. Sobre esta primera capa colocaremos una segunda de perfume de lilas, una tercera de vainilla y una cuarta con perfume de jazmín. Regaremos todo ello con un poco de alcohol de noventa grados. Cerraremos la botellita y procederemos de la siguiente forma:

▲ Tomaremos la botella entre las manos y repitiendo diez veces el nombre de la persona que es objeto de nuestro deseo visualizaremos su rostro.

▲ Después llevaremos la botella a la altura del corazón y repetiremos en voz alta: «Por el poder de estas esencias, por la fuerza de las rosas, las lilas, la vainilla y el jazmín, tú vendrás a mí, tú sentirás mi provocación y acudirás sin miedo ni cuestión».

▲ Tras unos minutos de reflexión, daremos por concluido el ritual, teniendo la precaución de acostarnos durante una semana con la botellita, que siempre debe estar cerrada. Por la noche, antes de ir a dormir, la sostendremos un par de minutos entre las manos pensando en la persona a quien provocar.

▲ Es importante que la botella ambientadora se regale con cualquier excusa y que sea aceptada; por ello lo mejor será que hagamos uso de nuestro buen gusto y escojamos un recipiente que sea vistoso y elegante y que lo regalemos convenientemente envuelto con cualquier excusa.

▲ En caso de usar la botella en nuestro hogar, debe ubicarse en un lugar accesible, como un salón o recibidor, para que cuando tengamos una cita ésta perciba los efluvios olorosos fruto de nuestro acto mágico.

Esencias corporales y vahos para fortalecer relaciones

Lamentablemente las relaciones amorosas, e incluso las simplemente amistosas, no siempre fluyen como debieran. Son muchos los acontecimientos que pueden desvirtuar una relación, con el consiguiente mal sabor de boca para ambas partes. Hay otro punto que también es muy importante: cuando una amistad o pareja se aleja, la persona se encuentra en una situación de soledad, de falta de seguridad sobre su persona, en definitiva, puede perder parte de su «poder personal».

Para poder mitigar todas las situaciones referidas, destacaremos un ritual que puede ayudarnos a fortalecer la creencia en nosotros mismos por una parte y, lo que es más importante, crear la actitud mental necesaria para que sepamos proyectarnos de forma constructiva hacia el entorno, sin rencor ni miedo.

Por una parte vamos a trabajar con un aroma natural que pueda aplicarse directamente en la piel; a este respecto aconsejamos al lector que se asesore en su tienda especializada, o bien, que recurra a una parafarmacia donde podrá adquirir un perfume natural que no provoque alergia. El perfume que debemos usar para potenciar el fortalecimiento de las relaciones es el ciclamen, ya que tiene la capacidad de fortificar lo establecido además de tener la virtud de liberar, tanto física como mentalmente, a quien se somete a su efluvio.

▲ Tras comprar en una tienda especializada una botellita de perfume de ciclamen, nos dirigiremos a nuestra habitación de trabajo. En ella entraremos en relajación mediante la respiración y pensaremos en la situación que nos preocupa. Debemos hacer que nuestra preocupación venga a la mente poco a poco, pero sin que nos implique pensar en situaciones de solución.

▲ Tomando la botella de perfume entre las manos invocaremos: «Por el poder de los aromas, de la magia de los olores, pido a las entidades celestiales y ocultas que su fuerza recaiga en este perfume». Cuando hayamos repetido cinco veces la invocación, procederemos a visualizar aquello que nos preocupa e invocaremos de nuevo: «Solicito a las fuerzas mágicas que esta fragancia me ayude a fortalecer las situaciones con (nombre de la persona) para que nuestras relaciones vayan mejor».

▲ Guardaremos el perfume en un lugar seguro hasta que consideremos que ha llegado el momento de usarlo, teniendo la precaución de tomarlo entre nuestras manos por lo menos un par de veces al día y repetir las invocaciones referidas en el punto anterior.

▲ A partir de que la consagración del perfume ya es un hecho, sólo dependerá de nosotros el momento de usarlo, eso sí, debemos tener presente que por lo menos deben haber pasado, como mínimo, cinco días de consagración.

Cuando llegue el día de una cita o encuentro con la persona con la que sabemos que tenemos disputas o alejamiento de relación, debemos proceder a usar el perfume tal como indicamos seguidamente:

▲ Tomaremos la botella de perfume entre ambas manos, al tiempo que nos relajamos. Pasados unos minutos de reflexión meditativa, aplicaremos a los dedos índice de ambas manos un par de gotas de esencia. Pondremos las gotas de perfume en la parte trasera del lóbulo de la oreja al tiempo que pensamos: «Con esta acción refuerzo mi persona y modifico mis vibraciones».

▲ El paso siguiente será aplicar un poco de perfume en la parte interior de las muñecas, ya que de esa manera el efluvio energético del aroma puede proyectarse fuera de nosotros.

▲ Cada vez que usemos el perfume y la otra persona esté presente debemos tener la precaución de pensar: «Tengo seguridad, el aroma me acompaña. Nuestras energías se están acercando».

Por lo que se refiere a los vahos para potenciar la seguridad y fortificar las relaciones, podemos usar una vaporización de esencia de cedro, pues esta esencia tendrá la capacidad de anular las situaciones de tensión provocadas por dolores afectivos, ya sean de índole amistosa o amatoria. También es un poderoso aroma, inhalado en meditación, para la seguridad personal.

Si deseamos gozar de seguridad anulando las situaciones de tensión, debemos depositar unas cuantas gotas de esencia de cedro en un vaporizador del tipo ambientador. Debemos colocar el vaporizador en un lugar que sea de paso o esté estratégicamente ubicado para que el aroma de las fragancias pueda expandirse por todo el recinto; así, todas las personas que lo huelan, sin más, se sentirán más relajadas y distendidas, lo que facilitará la comunicación.

Otra modalidad de trabajar con el vapor de cedro será realizando unas inhalaciones a cierta distancia; para ello, nada mejor que la estancia que tenemos reservada para llevar a cabo las prácticas mágicas.

▲ En la habitación de trabajo debemos disponer de cuatro velas de color blanco que tendrán la misión de purificar el ambiente, un vaporizador en el que verteremos unas gotas de esencia y un lugar en el que nos podamos sentar cómodamente.

▲ Colocaremos las cuatro velas en consonancia con los puntos cardinales y las encenderemos con una cerilla de madera. Al colocar las velas, debemos dejar un buen espacio de separación para poder sentarnos en el interior.

▲ Situaremos el vaporizador a una distancia prudencial, entre un metro y dos, de forma que emane su aroma pero no recaiga sobre nosotros de forma directa.

▲ Debemos ir respirando poco a poco, de forma que el aire vaya entrando en nuestro organismo y tomemos consciencia de él. A medida que vayamos percibiendo la fragancia empleada en el vaporizador, iremos sintiendo que tenemos mayor fuerza, que poseemos mayor seguridad y podremos invocar: «Estas velas que iluminan la acción, me ayudan y protegen. Este es el aroma de la fuerza, el que me une con la persona que está en mi cabeza. Con este aroma que ahora entra en mí, renuevo mi vitalidad y unión de relación».

La duración del proceso anteriormente descrito no será superior a diez minutos y este tipo de inhalaciones, aunque sean a distancia, no es recomendable efectuarlas, en ningún caso, más de tres veces por semana, por supuesto, alternando los días y siempre antes de tener un encuentro con quien deseamos fortalecer los vínculos o relación.

Algunas personas complementan el ejercicio descrito viéndose en el interior de una nube protectora que todavía les da más seguridad y fuerza a la hora de efectuar sus invocaciones rituales.

Ritual aromático ahuyentador de celos y dudas

Los terapeutas afirman que los celos son una de las emociones que más presentes están en las relaciones humanas. De hecho, psicológicamente hablando, podemos relacionar los celos con la envidia por lo ajeno. De esta forma tener celos significaría «me siento mal porque aquella persona tiene lo que yo deseo y no puedo tener». La verdad es que, en las temáticas de amor, los celos están a la orden del día; claro que las dudas sobre la seguridad en la pareja también.

Si en una pareja hay celos o dudas, lo mejor, antes que un ejercicio mágico, siempre será entablar una buena conversación, claro que ello no siempre es factible y entonces es necesario recurrir a las tradiciones esotéricas.

El mejor ritual para ir en contra de los celos, es decir, para resolverlos, consistirá en preparar una pequeña fumigación en el centro de la casa en la que se están viviendo los celos, ya que de esta forma podremos eliminar las tensiones y energías negativas que dicha situación ha generado. La fumigación debe hacerse, por lo menos, un par de veces a la semana, siendo ideales un martes y un viernes. La hora la dejamos al criterio del lector, aunque podría ser entre las nueve y las diez de la mañana, o las once y las doce de la noche.

▲ En un recipiente metálico o cazoleta de barro debemos encender un par de carbones especiales para incienso y, de no encontrarlos, usaremos los de la barbacoa, que prenderemos con facilidad con la ayuda de un poco de alcohol de quemar. Cuando tengamos los carbones al rojo, debemos depositar sobre ellos inciensos de los denominados no combustibles, es decir, de los que están especialmente preparados para arder sobre los carbones incandescentes.

▲ Debemos preparar una mezcla de aromas que contenga en las mismas proporciones ciprés, camelias y ruda, pudiendo añadir un puñado de aroma de eucalipto que será vivificador y le dará un toque aromático.

▲ Una vez el carbón prendido esté al rojo, depositaremos sobre él la mezcla de los inciensos, teniendo la precaución de incorporar dosis pequeñas.

▲ Cuando comience a humear, nos concentraremos pensando en la situación que nos ha llevado hasta allí, deseando que los celos desaparezcan de nuestra vida y se alejen de la relación que mantenemos.

▲ Con la ayuda de un paño o tapa de madera para evitar quemarnos, cogeremos la cazoleta y nos dirigiremos con ella a la habitación de la casa que esté más alejada de la puerta de la vivienda. Desde allí, iremos purificando todas las estancias, una por una, dejando que el aroma limpie el ambiente y penetre por todos los rincones. Concluiremos este «paseo» al llegar a la puerta del hogar, allí dejaremos la cazoleta en el suelo para que acabe la combustión.

▲ Cuando finalice la emanación de humo, debemos recoger todos los componentes utilizados y tirarlos a la basura visualizando que de igual forma se alejan de nuestra vida los celos y dudas.

Entendemos que quizá algunas personas al no vivir solas tengan alguna dificultad para desarrollar este proceso e ir por toda la casa con una cazoleta humeante que, quizá, les obligue a dar más explicaciones de la cuenta. De ser así, recomendamos efectuar las fumigaciones en una sola estancia, siendo la mejor de ellas el salón, que, por lo general, es la zona central de la casa.

Baño atrapaamistades

Si el amor es importante, no podemos decir menos de la amistad, tan necesaria en los tiempos que corren, donde todo está cada vez más deshumanizado.

Afirman los psicólogos que el ser humano es una criatura que necesita muchísimo de las relaciones con los demás. El simple hecho de recibir una llamada telefónica, de encontrarnos con una persona conocida por la calle y compartir un café con ella, es motivo más que suficiente para modificar, aunque sea por un rato, nuestro estado emocional.

La amistad crea un vínculo especial entre las personas permitiendo que las energías fluyan y que las sensaciones de seguridad, fuerza y creatividad afloren desde lo más profundo. Lo cierto es que una persona sin amigos, o que percibe que no es querida, tiene muchas más facilidades para deprimirse, caer enfermo e, incluso, para aislarse en otras facetas de su vida del resto del mundo.

A continuación veremos un sencillo ritual, en este caso acuático, especial para las personas que se sienten solas, que desean tener mejores relaciones humanas o simplemente más amistad. Como siempre, cabe decir que el baño puede ayudarnos pero que, por encima de todo, lo que realmente nos salvará de la soledad será un cambio de actitud ante el mundo.

▲ Para llevar a cabo el baño, o ducha, será necesario contar con hojas naturales de romero, albahaca y tomillo.
▲ El proceso a seguir consistirá en hervir en dos litros de agua un puñado de romero, dos puñados de hojas de albahaca fresca y un par de ramilletes de tomillo. Paralelamente mientras el agua hierve, prepararemos un baño, llenando la bañera hasta la mitad. Cuando las hojas hayan hervido, colaremos el líquido y nos sumergiremos en el agua, pudiendo rectificar la temperatura con más o menos agua caliente.

▲ Nos sumergiremos en el agua, a la que no debemos añadir jabón alguno. Sentiremos el líquido recorriendo nuestro cuerpo y nos concentraremos desde los pies hasta la cabeza.

▲ Efectuaremos un repaso mental del todo el cuerpo, al tiempo que nos vamos relajando. A continuación invocaremos: «Que esta agua que contiene la fragancia y las propiedades de los vegetales armonice mi cuerpo y logre que las amistades vengan a mi persona».

▲ Podemos dar por concluido el ritual cuando llevemos unos veinte minutos sometidos al influjo del agua. Transcurrido dicho tiempo saldremos de la bañera y nos secaremos con total normalidad. No debemos aclararnos con agua del grifo a fin de evitar la salida de las fragancias.

En el caso de no poseer bañera debemos ducharnos con normalidad con agua y temperatura al gusto. Después cuando el agua en la que hemos hervido los vegetales se haya enfriado un poco, podemos proceder, con la ayuda de una esponja, a derramarla sobre nuestro cuerpo efectuando la invocación antes descrita.

Sopa aromática para la unión familiar

Si la amistad es importante, el vínculo familiar puede serlo más. De hecho muchas personas afirman que para ellas lo más relevante es la familia, en segundo lugar su pareja y en tercero sus amistades. Claro que también hay quien lo primero que valora es la amistad, después la pareja y en última posición la familia.

La familia se convierte muchas veces en un arma de doble filo, ya que cuando las cosas van bien, la unión parece total y absoluta; sin embargo, cuando las circunstancias parecen ir algo peor, todo puede desmoronarse y el vínculo, tan unido, comienza a desvanecerse.

Los aromas nos ofrecen una posibilidad para unificar las relaciones afectivas entre la familia, en este caso, de la mano de la cocina mágica y sus fragancias.

Para llevar a cabo la sopa aromática debemos incorporar, en dos litros de agua, cuatro cebollas partidas en cuartos, una cabeza entera de ajos sin pelar, un ramillete de tomillo y media hoja de laurel. Debemos dejarlo hervir a fuego lento durante una hora, después lo colaremos y podremos servirlo. Es importante que mientras preparamos la sopa, pensemos mentalmente en todos y cada uno de los miembros de la familia que la probarán al tiempo que proyectamos mentalmente el deseo: «Con esta sopa se reforzará tu vinculo familiar».

Si queremos armonizar todavía más el momento, podemos servir la sopa a la luz de un par de velas verdes, con cuyo color obtendremos sosiego. Si se desea, las velas pueden uncirse con un aceite esencial de pino que, entre otras muchas cosas, nos ayudará a purificar la estancia en la que nos encontremos.

Para que la sopa tenga todavía más efecto, la serviremos pensando amorosamente en cada comensal al tiempo que le enviamos un deseo de paz y armonía familiar. Es decir, mientras servimos la sopa o entregamos su plato enviaremos un efluvio energético.

Perfumes mágicos para el trabajo sosegado

Hay quien define el mundo laboral como una gran jungla en la que se libra una guerra sin cuartel. Posiblemente no sea necesario llegar a tales extremos, bastando con entender que el trabajo es un cúmulo de reacciones, creencias, ideologías y objetivos, con los que no siempre todo el mundo está conforme.

Afortunadamente la magia también puede ofrecernos algunas soluciones para las cuestiones laborales; resaltaremos las más importantes para mitigar problemas y tensiones. En todos los ejercicios que abordaremos, se tratará de encender un incienso que favorezca la ambientación del lugar en el que trabajamos. En su defecto, podemos recurrir a un aromatizador mediante vaporización. En el peor de los casos, si no tenemos opción de encender inciensos, seguramente nadie se dará cuenta de si distribuimos estratégicamente, por algunos lugares de nuestra empresa, unas gotas de esencia que llevaremos empapadas en algodón.

▲ Para empresas que tengan que ver con la atención directa al público podemos combinar el aroma de caléndula con el de coco en iguales proporciones.

▲ Si la empresa tiene relación con temas de asesorías, ya sean laborales, fiscales o legales, lo mejor será una fragancia de clavo, que también fortalece la concentración, la memoria y aleja la negatividad.

▲ En el caso de empresas asociadas a temas de transportes, y aquí incluiríamos cualquier servicio de ellos, los aromas más agradables serán pino, que atrae dinero y purifica el ambiente; tomillo, que ayuda en la parte económica y da sosiego, y sándalo, que cumplirá las mismas funciones.

▲ En empresas relacionadas con el mundo de la alimentación, como tiendas, supermercados, etc., un buen aroma será el de canela o, en su defecto, el de borrajas.

▲ En negocios y comercios relacionados con la hostelería las fragancias que más apaciguarán son la de madreselva y lirio.

Ritual de las especias para encontrar trabajo

La búsqueda de trabajo parece haberse convertido últimamente en una profesión sin remunerar que nos conducirá, si tenemos suerte, a la que sí nos dará unos beneficios. Lo que sí está claro es que una persona que no tiene trabajo se encuentra desmotivada y hasta depresiva si el tiempo transcurrido en no obtener resultados es excesivo.

Para buscar trabajo siempre precisaremos de una serie de actuaciones tanto físicas como mentales, pero no debemos olvidarnos de las acciones energéticas, es decir, de aquellas que ponemos en marcha cada vez que nos ilusionamos con un proyecto, nueva situación o idea. Por eso, cuando una persona busca trabajo, casi está realizando una actividad mágica, ya que pone todos sus sentidos en hallar su objetivo.

El ritual que relataremos para aquellas personas que buscan trabajo es, como veremos, extremadamente simple, ya que sólo se trata de preparar un saquito ceremonial cargado de especies que, llevado siempre encima, tanto los días que tenemos una entrevista de trabajo, como cuando vamos a buscarlo, puede ayudarnos a lograrlo.

▲ Debemos adquirir una pequeña bolsa de tela de color marrón o naranja, ya que estos dos colores son los más propicios para el trabajo.

▲ Nos proveeremos de las siguientes especies: una hoja de laurel, un ramillete de tomillo, unas cuantas briznas de azafrán, una ramita de canela y un poco de pimienta. Introduciremos todas las especies en el saquito y le añadiremos una moneda dorada y una fotografía personal.

▲ Debemos dejar el saquito y todo su contenido al raso, por lo menos durante tres días en los que, a ser posible, haya luna. Transcurrido el tiempo citado, podremos trabajar manualmente el saco; para ello lo tomaremos en nuestras manos y en estado de relajación le indicaremos que precisamos ayuda para encontrar trabajo, conminándole a que nos ayude a hallarlo.

Este ritual puede ser de gran ayuda, especialmente si somos capaces de prestarle un poco de atención, poniéndole interés y el máximo de proyección a la hora de solicitarle al saquito que nos ayude a lograr el puesto laboral que precisamos.

La máxima recomendación es que la bolsita de las especias duerma con su operador y que éste la retenga en sus manos, por lo menos una vez al día, siempre y cuando se encuentre en un momento de sosiego mental.

Aromas de café ritual para potenciar los proyectos

Encontrar trabajo está bien, pero si ya lo tenemos, conservarlo será algo mucho mejor. Muchas personas limitan su vida a una ocupación. Tras lograr la firma de contrato que les permite cobrar un sueldo cada mes, se acomodan y no ven más allá de su hoja de nómina; sin embargo, otras prefieren ir más allá y se esfuerzan por lograr nuevos complementos, mejores relaciones sociales dentro de la empresa y encuentran la forma de ir ascendiendo poco a poco, mediante propuestas muy meditadas.

Tanto si se trata de trabajar por cuenta propia como ajena, la ocupación que desarrollemos no debe ser algo estático sino creativo y en continuo crecimiento. Lo malo es que muchas veces tenemos una idea pero no sabemos cómo ponerla en marcha o precisamos de una serie de aclaraciones o nuevas fuentes de inspiración. El ritual que destacaremos seguidamente tiene la finalidad de ayudar a concentrarnos, de facilitarnos un ambiente agradable en el que trabajar y, por supuesto, permitirnos la liberación de nuestra energía en pos de algo productivo.

Al leer el titular podría pensarse que la propuesta es hacer un café, pues sí, pero no para ingerir, sólo para que ambiente la estancia en la que estén pensando o desarrollando el proyecto de trabajo. Dado que en las empresas no siempre es factible llevar adelante según qué tipo de acciones, lo mejor será efectuar el ceremonial que sigue en una habitación tranquila del hogar.

▲ Prepararemos una cafetera con agua de río, en cuyo depósito de carga introduciremos, además de café, una pizca de comino en especia, un poco de incienso de benjuí desmenuzado e idéntica cantidad de aroma de coco.

▲ Pondremos la cafetera al fuego y dejaremos que siga su proceso. Paralelamente en la habitación de trabajo prenderemos una vela de color azul que unciremos con aroma de flor de loto, perfecta para potenciar las ideas.

▲ Una vez esté hecho el café, debemos llevar la cafetera a la habitación de trabajo para que humee en su interior; cuando deje de humear, si deseamos perpetuar un poco más la fragancia, podemos trasladar el líquido resultante a un pequeño cazo que llevaremos a ebullición para obtener más vapor aromático.

Bolsa de la buena suerte para el dinero

Entramos casi de lleno en el mundo de los amuletos, ya que de hecho la bolsa en la que vamos a efectuar un preparado para el dinero no deja de ser un saquito de la suerte o amuleto específico de una sola finalidad: obtener más beneficios o, al menos, lograr ingresar algo más de dinero en nuestras arcas.

Esta bolsa será de gran utilidad a la hora de ir a comprar un décimo de lotería o rellenar cualquier apuesta. Es un amuleto que irá con la persona cuando asista al bingo o cuando deba tentar la suerte de cualquier otra forma.

Para empezar precisaremos de una bolsa de color amarillo, ya que este tono es uno de los más energéticos que existen y puede representar la captura del bien monetario que estamos buscando. Al margen de la bolsita, los ingredientes que precisamos para su confección serán: un par de monedas doradas, una vela de color amarillo, esencia de salvia, coco, jengibre y, además, unas hojas frescas de albahaca y unas briznas de pino.

Una vez dispongamos de todos los materiales necesarios, procederemos a guardarlos en un recipiente metálico que cubriremos con un paño de color amarillo para que la influencia del color comience a darles fuerza. Al efectuar esta acción, será recomendable que invoquemos: «Éstos son los elementos que me darán la fuerza y la suerte». Tras la invocación abandonaremos el lugar dejando allí el cuenco por espacio de un par de días. Después ya podremos confeccionar la bolsa:

▲ Tomaremos la vela de color amarillo y la prenderemos con una cerilla de madera, procediendo a inclinarla sobre las monedas doradas de forma que queden cubiertas de cera por anverso y reverso.

▲ Una vez la cera se haya enfriado un poco y comience a endurecerse, le pegaremos, ejerciendo una ligera presión, las briznas de pino, para de nuevo volver a cubrirlas con más cera.

▲ Cuando la cera ya esté otra vez un poco endurecida procederemos a marcar en ella, con la ayuda de un punzón, la palabra *suerte* y nuestro nombre de pila.

▲ Sostendremos el sello de cera con ambas manos y nos concentraremos en la palabra *suerte* y en nuestro nombre de pila, diciendo mentalmente: «Que la persona cuyo nombre está aquí escrito reciba la suerte que le es merecida y el dinero que en justicia le sea meritorio».

▲ Transcurridos unos minutos de meditación, volveremos a dejar el sello de cera y en su reverso, en la cara contraria al lugar donde hemos escrito el nombre y la palabra *suerte*, colocaremos unas hojas de albahaca que cubriremos con más cera caliente.

▲ Cuando comience a enfriarse le aplicaremos dos gotas de esencia de salvia, dos de jengibre y tres de coco. Dejaremos que la cera absorba por sí misma las esencias y daremos por concluido el sello amuleto que podremos guardar ya en la bolsita.

▲ Con la bolsita entre las dos manos, entraremos en relajación, con la intención de que nuestra energía y la del saquito se fundan. Permaneceremos así unos diez minutos. Pasado dicho tiempo, invocaremos: «Ésta es la suerte que me dará suerte, poder y bienestar, bolsa que cuidaré para que así sea dicha acción».

La bolsita de la suerte podrá darse por finalizada; ahora bien, no debemos usarla hasta pasados, por lo menos, siete días desde el momento de su confección, ya que son las jornadas que vamos a emplear en magnetizar la bolsa amuleto. De esta forma, lo mejor será que cada mañana, al levantarnos, tomemos la bolsa entre nuestras manos por espacio de cinco minutos y, sin pensar en nada más, nos concentremos en que su energía y la nuestra se intercambian.

Cuando llevemos cinco días manteniendo el contacto energético con la bolsa, podemos efectuar una serie de invocaciones como: «Ésta es la bolsa de la suerte que usaré para mis juegos de azar» o «Con esta bolsa talismánica lograré suerte y poder».

Como ya hemos comentado, es importante que la bolsa nos acompañe en aquellas actividades que tengan relación directa con los juegos de azar, loterías, etc.

Ritual para las buenas relaciones laborales

La afirmación de «el mundo de la empresa puede ser desde una jaula de grillos, hasta una colosal y peligrosa selva del ascenso», no está tan lejos de la realidad como nos podemos imaginar. En ocasiones una persona tiene que ver, sin poder evitarlo, la caída de unos compañeros a costa del poco esfuerzo de otros, que lo único que han hecho es aprovecharse de ciertas circunstancias.

Palabras como envidia, celos o traiciones lamentablemente son más frecuentes de lo que nos imaginamos en un centro de trabajo, un lugar que puede estar cargado de energías en verdad perturbadoras que pueden afectar a las personas especialmente sensibles. Dicha afectación vendrá no sólo en forma física a través de un dolor de cabeza, una mala digestión o una tensión física exagerada, podrán aparecer también problemas asociados a lo mental, como melancolías, depresiones, sentimientos de incomprensión o falta de motivación no sólo para programar nuevas acciones, sino también para hacer bien el trabajo de cada día.

En un centro de trabajo, debemos relacionarnos con muchas personas; desde aquel compañero que siempre protesta por todo, haga lo que haga, hasta aquella otra persona que no hace ningún esfuerzo por facilitar la armonía o la convivencia con los demás. A veces saber «navegar» entre esas aguas tan complejas no es fácil y, como consecuencia de ello, aparecen discusiones, problemas y hasta celos o envidias, cuando no traiciones.

Dejando al margen el tipo de personas con las que debamos tratar en nuestra empresa, es decir, tanto si son jefes como subordinados o simples trabajadores, veremos un ritual aromático que nos ayudará a canalizar mejor las energías ambientales. Con esta práctica podremos lograr que una reunión sea menos tensa, que el momento de discutir un proyecto tenga más creatividad o que el ambiente general que se respire en la oficina o comercio se perciba más grato.

Para proceder con el ritual debemos contar con los datos de las personas que deseamos que se vean afectadas por la práctica mágica, siendo precisos el nombre y los apellidos de los trabajadores a quienes deseamos hacer llegar el efluvio con nuestra acción. Si disponemos de una fotografía también servirá. Por lo que se refiere a otros elementos necesitaremos velas de los siguientes colores: blanco, negro, marrón y amarillo; añadiremos a todo ello cuatro ramilletes de perejil y un paquete de sal marina, preferentemente gorda. El aroma a emplear para el ritual dependerá de la acción que deseemos llevar a cabo, por ello lo destacaremos al margen.

▲ En primer lugar, antes de pasar a generar la intención del ritual en la mente, debemos escribir en un pergamino el nombre y los apellidos de todas las personas que deseamos influenciar.

▲ En una esfera de reloj imaginario, alrededor del pergamino, situaremos en las doce la vela de color negro, en las seis la blanca, en las tres la marrón, y dejaremos la posición de las nueve para la vela amarilla. Junto a cada una de estas velas pondremos un ramillete de perejil, que es un vegetal poco oloroso pero de gran ayuda para la canalización de la energía.

▲ Nos centraremos en lo que deseamos llevar a cabo, es decir, si pretendemos armonización general, mejorar las relaciones de trabajo, superar adversidades, crear fuentes de entendimiento, anular las envidias, generar grupos, etc. Lo importante es que pensemos en una única cosa para no disipar las energías.

▲ Cuando tengamos la petición bien clara, entraremos en relajación y la visualizaremos en nuestra pantalla mental. En ese momento podemos tomar una pluma o bolígrafo y escribir alguna palabra clave que haga referencia al deseo.

▲ Cogeremos la sal entre las dos manos al tiempo que pensamos que servirá para proteger al ritual, seguidamente la derramaremos confeccionando con ella un círculo que rodee las velas. A continuación, y con la ayuda de una cerilla de madera, prenderemos las cuatro velas, eso sí, en el mismo orden en que han sido colocadas.

A partir de este momento entramos en la segunda fase del ritual, que consistirá en aplicar la esencia del perfume más adecuado para la petición efectuada. Lo más recomendable es utilizar el aroma en dos versiones, es decir, incienso y esencia aromática. La modalidad de incienso nos ayudará a que el aroma se expanda por toda la estancia impregnando al operador en sus actos de visualización. Por su parte, el incienso en esencia deberá humedecer influyendo así los nombres citados de la ceremonia.

▲ Si el proceso que deseamos llevar a cabo está vinculado con las relaciones interpersonales en la empresa, o sea, que pretendemos que los trabajadores se lleven mejor entre ellos, debemos recurrir al aroma de lilas mezclado en proporción de dos por uno con el perfume de hinojo. En el caso de incienso en barritas, la proporción indicada debe ser la misma, por ello precisaremos dos barritas o conos de aroma de lilas y una barrita o cono de fragancia de hinojo.

▲ Si el ritual se lleva a cabo para evitar problemas con una persona o grupo de ellas, neutralizándolas para que no puedan hacer más daño, pero sin que ello signifique que las tengan que despedir, debemos usar aroma de hamamelis en combinación con limón y azucena.

▲ En el caso de que se trate de un ritual para buscar la comprensión después de una disputa o discusión, tenemos que recurrir a la esencia de menta, que nos ayudará a limpiar, mezclada con sándalo que servirá para purificar.

▲ Si el ritual es específico para problemas con jefes o subordinados, pero no con personas de la misma escala profesional, y lo que deseamos es que exista un mejor entendimiento, sin rencores ni rencillas posteriores, debemos usar dos partes de aroma de violetas con una de azucenas.

▲ Cuando el ritual se efectúa para el mismo proceso que el descrito en el punto anterior, pero con la modalidad de que los problemas están entre los compañeros de un mismo nivel empresarial, usaremos aroma de bergamota unido al de canela y comino; todos ellos son perfumes que alejan y armonizan de forma amorosa.

NOTA: Todas las mezclas deben hacerse antes de comenzar el ritual, teniendo ya dispuestos los ingredientes a utilizar dentro del círculo protector de las velas y la sal.

▲ Cuando ya tengamos escogida la fragancia que precisamos, lo primero que debemos hacer es prender los inciensos que deben humear. A continuación entraremos nuevamente en relajación y visualizaremos el problema que nos inquieta.

▲ Mirando con atención todo el conjunto, pasearemos la vista primero por la sal, tomando conciencia de que está allí para proteger todo el ceremonial. Seguidamente miraremos una por una las llamas de todas las velas. Al observar la negra diremos mentalmente: «Tú absorberás toda negatividad presente en este ceremonial». Cuando miremos la vela blanca nos concentraremos en la pureza de su color y pronunciaremos mentalmente: «Tú tienes la misión de purificar este ritual». El paso siguiente será fijar la vista en la vela marrón, para después invocar: «Tú eres el color del trabajo, de la producción. Tu misión es propiciar que los deseos que aquí se plasmarán puedan ser efectivos». Finalmente observaremos la vela amarilla y llevaremos a la mente esta afirmación: «Tú tienes el color de la fuerza y la energía, canaliza mis deseos y dales el vigor».

▲ En este momento es muy importante que, antes de seguir adelante con el ejercicio, centremos de nuevo las intenciones. Será en este instante cuando mentalmente repasemos los nombres de todos los afectados en el ritual, acompañando la pronunciación con la visualización de la imagen de su rostro. Una vez hayamos visto todas las caras, debemos volver a la intención y pronunciarla con firmeza y voz alta. Luego callaremos.

▲ Tras permanecer unos minutos en silencio y recogimiento, procederemos a derramar las gotas de esencia sobre el papel de pergamino mientras decimos en voz alta: «Ésta es la manifestación de mi fuerza y mi poder».

▲ Una vez mojado el pergamino, invocaremos:«Por la fuerza de los aromas aquí presentes (repetiremos en voz alta sus nombres) pido con todas mis fuerzas y convicción que (detallaremos la petición) se cumpla cuanto antes, porque es justicia que así sea».

▲ Respiraremos profundamente y, concentrados en el ritual, doblaremos en cuatro mitades el pergamino que sellaremos con gotas de todas las velas presentes. Una vez esté sellado el documento, dejaremos que las velas se consuman hasta el final; cuando ello ocurra, daremos por finalizado este ceremonial.

▲ Somos conscientes de que este ritual puede ser un poco largo de llevar a cabo; sabemos también que para la persona poco ducha en temas mágicos, este acto puede resultar un tanto sorprendente, pero recordemos que la duda es lo que puede hacer que un ritual falle, así es que debemos dejar a un lado las dilaciones y los cuestionamientos para, simplemente, actuar.

▲ Cuando damos por finalizado el ritual, en el momento en que las velas se han consumido del todo, debemos recoger la cera sobrante y depositarla sobre el pergamino, envolviendo todo el conjunto bien con un papel de aluminio o, si se prefiere, guardándolo en una bolsa que no sea transparente ni de ninguno de los colores de las velas. El hecho de guardar todos los componentes es porque sus energías están condensadas en lo que ha sobrado y también debemos usarlas como aliadas.

▲ Este paquete o bolsa debemos llevarlo encima cuando estemos en el trabajo, guardarlo en un cajón de la mesa del despacho o colocarlo en un lugar discreto y estratégico para que todas las personas queden influenciadas por la magia realizada.

Ceremonia de purificación de un negocio o despacho

Ya hemos visto que una empresa o despacho es un cúmulo energético importante, especialmente en todas aquellas en las que hay mal ambiente, problemas laborales o trato abierto al público. En referencia a los clientes de un establecimiento, debemos tener en cuenta que, por ejemplo, en una tienda, entrarán muchas personas al cabo del día y no todas ellas llegarán de buen humor. Otro caso similar podría ser un restaurante, donde es preciso que siempre haya un buen ambiente que venga marcado por la buena vibración, al margen de aspectos decorativos de servicios, etc.

Los responsables del negocio deben hacer todo lo posible para que funcione con corrección y armonía, pero en ocasiones quedan resquicios energéticos contra los que es preciso luchar. El ritual de purificación que detallamos a continuación tiene la finalidad de limpiar energéticamente un negocio, crear un buen ambiente en él y, finalmente, proyectar una serie de intenciones prefijadas.

Para llevar a cabo esta práctica debemos proveernos de cuatro limones, un kilo de sal marina, un quemador con carbones para depositar sobre él incienso de eucalipto o, en su defecto, la flor dura en forma de copa; también necesitaremos entre dos y tres conos de incienso de este mismo aroma, y esencia de violetas, una fragancia perfecta para purificar los negocios. Debemos contar también con cuatro agujas con cabeza de color verde.

▲ A partir de las doce de la noche o, si el negocio es nocturno, de las doce del mediodía, debemos comenzar por entrar en relajación, con la intención de llevar a cabo un ritual de limpieza, armonía y purificación. Mientras tenemos esta idea en la cabeza iremos recorriendo todas las dependencias del lugar.

▲ En cada una de las esquinas de la estancia, colocaremos un puñado de sal marina. Cada vez que depositemos la sal en el suelo invocaremos: «Limpia y purifica».

▲ Una vez hemos colocado la sal, debemos tomar la esencia de las violetas y derramar sobre cada montículo de sal entre tres y cinco gotas. De forma paralela diremos: «Limpia, purifica y elimina todo mal».

▲ Nos desplazaremos hacia la puerta de entrada del negocio. Una vez situados tras la puerta, debemos sentarnos tranquilamente mirando hacia ella con los cuatro limones frente a nosotros. Los partiremos por la mitad y nos concentraremos en que su aroma y poder nos ayuden. Tomaremos las agujas y las clavaremos en cada una de las mitades del limón. Paralelamente invocaremos: «Purifica mi negocio, ayuda a la prosperidad. Que este aroma sea barrera para indeseables y obstáculo para adversidades». Ya en pie, espolvorearemos un poco de sal sobre los limones para que su aroma sea más fragante.

▲ Ahora que ya están actuando los limones y el aroma de violetas con sal, seguiremos el proceso desde el centro de la estancia, donde depositaremos el quemador de carbón sobre el que, una vez encendido, situaremos las hojas de eucalipto para que al combustionar desprendan el aroma que las caracteriza.

▲ Es importante que al finalizar la disposición de todos los elementos, dejemos pasar un mínimo de tres horas para que actúen tranquilamente. Si lo deseamos, es factible abandonar el recinto durante el proceso de purificación. Al volver debemos tener preparada una bolsa de basura de color negro en la que introduciremos todos los elementos, no sin antes, al recogerlos, agradecerles mentalmente su ayuda y participación en el ritual. El contenido debe tirarse a la basura, lejos del local.

Este ritual puede efectuarse con una periodicidad mensual o cada vez que haya un problema laboral en el recinto de trabajo.

Ambientador atraedor de clientes

Limpiar y purificar es importante, pero atraer a los clientes todavía más; para ello podemos usar, como ambientador natural, una serie de esencias aromáticas variadas que emplearemos en función del tipo de negocio.

Para usar el ambientador atrapador de clientes, necesitaremos un vaporizador de esencias que podemos adquirir en una tienda especializada. Su ubicación será, preferentemente, en la zona de cajas, en una parte intermedia y junto a la puerta de entrada. Si el local es pequeño, bastará con un solo vaporizador, en la zona de cajas, ya que tampoco se trata de sobrecargar el ambiente. Si el recinto es tipo oficina o despacho, podemos situarlo sobre la mesa de recepción o en una zona de paso en la que no moleste.

Los vaporizadores de esencias son pequeños utensilios que tienen capacidad, en su interior, para una pequeña vela, cuya llama calienta una superficie superior en la que se depositan las gotas de esencia; éstas al calor se vaporizan poco a poco. Es recomendable no abusar de las gotas ni quedarnos cortos; por tanto, siempre debemos ponerlas en una medida intermedia.

Tanto en el momento de encender la vela como en el de aplicar el vaporizador, debemos pensar en la acción que estamos realizando e invocar, si lo creemos necesario, términos como: «Con esta vaporización atraeré clientes».

Aromas aconsejables

▲ Aroma de vainilla para centros de estética, belleza y cuidado del cuerpo en general.

▲ Aroma de lilas y violetas en centros vinculados a servicios de transporte, mensajería, etc.

▲ Aroma de pino para centros relacionados con temas de restauración o alimentación.

▲ Aromas de rosas para tiendas en general, siempre que no sean de alimentación.

▲ Aromas de loto para librerías, bibliotecas, tiendas musicales, videoclubes, etc.

▲ Aromas de orégano para todos aquellos establecimientos destinados a las asesorías.

▲ Los aromas de cilantro, comino y almizcle son «comodines», ya que pueden usarse para todo tipo de negocios.

Vaporizaciones para suertes y loterías

Sin lugar a dudas puede resultar un tanto chocante, pero dicen los expertos que todo el mundo tiene lo que por justicia le corresponde y que quien no posee más, es porque no ha sabido pedirlo. Desde estas líneas no pretendemos fomentar una serie de creencias que conviertan al lector en ansioso de cara a sus peticiones, pero ¿qué motivo nos impide tentar la suerte o procurar poseer lo que por justicia nos corresponde?

El que más y el que menos ha jugado alguna vez a la lotería, ha rellenado una quiniela deportiva o ha tentado la suerte con algún tipo de sorteo, no necesariamente dinerario. Pues bien, vamos a ver algunos remedios mágicos para que el aroma de la suerte y el éxito nos acompañe.

Para poder proceder con este ritual, debemos adquirir un vaporizador o aromatizador y esencias de perfumes como romero, canela, azafrán, jengibre o madreselva. En este caso los usaremos por separado, sin hacer mezclas entre ellos. En el caso de no poder disponer de la esencia para vaporización, podemos usarlos también en la modalidad de cono de incienso.

▲ Antes de salir a comprar el boleto de lotería o de rellenar la apuesta correspondiente, debemos entrar en la habitación de trabajo para realizar un ejercicio de visualización previo, dejándonos influir por el aroma del incienso.

▲ Prenderemos la vela del vaporizador aromatizador o el incienso y cerraremos los ojos para relajarnos, respirando con mucha lentitud.

▲ A medida que nos vayamos relajando, iremos visualizando en la pantalla mental una imagen que nos haga referencia a la apuesta o boleto de lotería. Paralelamente sentiremos el aroma del incienso que va penetrando en nuestro organismo.

▲ Cuando tengamos bien visualizado en la mente el billete de la apuesta, nos imaginaremos que el humo o la fragancia ha entrado en nosotros y que, desde nuestro interior, envuelve el documento que estamos visualizando. Paralelamente repetiremos: «Deseo recibir lo que es justo».

▲ Transcurridos unos diez minutos de visualización, daremos la primera fase del ritual por concluida, pudiendo salir para la adquisición de la apuesta.

▲ Es muy importante que mantengamos una actitud receptiva y positiva al ir a efectuar la apuesta; por ello, debemos intentar mantener en la mente tanto la imagen como la frase que hemos pronunciado con anterioridad.

▲ Una vez hayamos adquirido la apuesta, nos dirigiremos de nuevo a la habitación de trabajo mágico y allí, entrando en relajación, procederemos a encender la vela del aromatizador o el cono de incienso correspondiente. Tras visualizar idénticas imágenes a las ya referidas con anterioridad, tomaremos el boleto o la apuesta entre las manos y lo pasaremos por encima del humo de la fragancia escogida. Al tiempo debemos invocar en voz alta y repetidas veces: «Por el poder de las fuerzas desconocidas, pido al destino que se haga justicia sobre mi persona, mi vida y situación actual. Haz que tu poder caiga sobre este documento que ahora tengo en mis manos».

▲ Transcurridos unos minutos de invocación, daremos por concluido el ritual esperando que la suerte nos acompañe.

Ritual potenciador de las inversiones

En los tiempos que corren, el dinero a plazo fijo no parece ser la mejor garantía para asegurarse un colchón de futuro. La tendencia general en la gran mayoría de países es practicar el método americano de ahorro y, en este caso, hablamos de bolsa o inversiones en bienes inmuebles, como apartamentos, pisos, etc.

Cada persona tiene una serie de criterios por lo que se refiere a la forma de rentabilizar su dinero, aspecto en el que no podemos entrar desde este libro, aunque sí podemos aportar un buen consejo desde la vertiente mágica: dejarnos llevar por la intuición. No se trata de adivinar qué pasará con la bolsa, ni de saber dónde podemos invertir cierta cantidad de dinero con la garantía de una tendencia al alza; se trata de tener una cierta visión de futuro intuitivamente. Debemos poder decidir hacia dónde encaminar los fondos de inversión y en este caso, además de un buen asesor, precisaremos de un cierto sentido de la orientación.

Si no sabemos hacia dónde dirigir las inversiones, podemos pedirle a la energía universal que nos ayude por la vía mágica. Para ello, en primer lugar, debemos tener una referencia sobre lo real, esto es, sobre cuánto dinero deseamos invertir, en qué fracciones, para qué fecha y, lo más importante, qué canales diferentes podemos utilizar. Al respecto de los canales, lo más recomendable es confeccionar una lista en la que detallemos, aunque sea a modo de nombre, las diferentes opciones que nos han recomendado los expertos o que ya conocemos. Se trataría de escribir en un papel términos como: «Bolsa a largo plazo», «Bolsa a corto plazo», «Inversiones en países emergentes», «Fondos del Tesoro», «Inmuebles», etc. Cuando tengamos esta lista procederemos a realizar una sesión de trabajo en la habitación habilitada para tal uso.

▲ Debemos preparar un quemador de incienso, con carbones al rojo sobre los que depositaremos una mezcla de aromas formada por una cuarta parte de loto, otra de mimosa, otra de madreselva y una última parte de coco.

▲ En estado de receptividad, al tiempo que el incienso humea en la habitación y nos penetra con su fragancia, iremos relajando el cuerpo y la mente.

▲ Procuraremos vaciar la parte más lógica de la mente. Es importante que las dudas, el desconcierto o los miedos no tengan cabida en nuestro interior. No olvidemos que buscamos una ayuda; ésa será la razón del trabajo.

▲ Cuando consideremos que la relajación es lo suficientemente importante, al tiempo que seguimos sintiendo el aroma que entra en nuestra conciencia, debemos formular mentalmente la pregunta: «¿Cuál es la mejor inversión?». Acto seguido nos concentraremos en los textos que hemos escrito en el papel y que hacen referencia a las posibilidades que tenemos de inversión.

▲ Dejaremos que las palabras como «bolsa», «fondos a plazo», etc., entren y salgan de nuestra mente, con libertad, sin prisas, hasta que de pronto veamos que una de ellas parece tener más importancia que las otras. Si en un momento determinado uno de los términos que hemos invocado parece no querer desaparecer, tal vez la respuesta sea ésa.

▲ Sería recomendable que aprovechando el momento de sosiego en el que nos encontraremos tras la visualización, meditemos unos minutos más sobre las preguntas que nos hemos efectuado al principio, sobre la cantidad a invertir, el momento adecuado de hacerlo, los plazos, la diversificación, etc.

Polvos de la suerte y la lotería

De nuevo nos encontramos ante un tema relacionado directamente con el azar y la fortuna que podemos trabajar mágicamente y de forma muy fácil, preparando unos «polvos mágicos» basados en incienso.

▲ Para empezar debemos contar con incienso del tipo granulado, del que se quema sobre un carbón incandescente. Los aromas que vamos a utilizar en proporciones iguales son: limón, mirra y pino. Añadiendo a todo ello un poco de esencia de salvia, tan sólo unas cuatro o cinco gotas.

▲ Con la ayuda de un mortero y la mano de mortero, procederemos a machacar todos los granos de incienso hasta convertirlos en un polvo bien fino. Al tiempo que efectuamos esta acción debemos pensar en el motivo que nos ha llevado a hacerla, es decir; lograr unos polvos que nos ayuden a tentar la suerte.

▲ Cuando consideremos que la mezcla de aromas es suficientemente fina, la extraeremos del mortero y la depositaremos sobre un plato en el que previamente habremos añadido un poco de sal marina. Mezclaremos todo el contenido de nuevo, vertiendo sobre él las gotas de esencia.

▲ Tomaremos el plato entre las manos y nos relajaremos con la ayuda de la respiración. A continuación debemos visualizar un billete de lotería o apuesta, e invocar: «Este sortilegio me ayudará. Éstos son los polvos de la fortuna a los que pido protección, fuerza y suerte». Después dejaremos el plato cubierto con una tela blanca y lo depositaremos en el alféizar de la ventana o en el balcón, para que permanezca allí toda la noche.

▲ Por la mañana debemos retirar el paño que cubre el plato y dejarlo durante todo el día en un lugar protegido de las inclemencias del tiempo. Si podemos orientarlo de cara al sol, mucho mejor. Al final del día, los polvos estarán preparados para actuar; sin embargo, el ritual no está todavía finalizado.

▲ Procederemos a comprar el boleto de lotería o la apuesta correspondiente, pero antes de adquirirlo es preciso que podamos tocarlo con las manos, concretamente con la yema de los dedos, con los que previamente habremos tocado los polvos solicitando suerte y éxito.

▲ Una vez adquirido el boleto, iremos a nuestra habitación de trabajo para completar el sortilegio de una forma muy fácil. Tras entrar en relajación nos concentraremos en el deseo de que la suerte esté de nuestra parte y, para ello, repetiremos tantas veces como lo consideremos necesario la palabra *suerte* o *fortuna*. A continuación, debemos colocar sobre el altar el documento que certifica que hemos realizado la apuesta y depositar sobre él, de forma espolvoreada, los polvos de la mezcla anterior. Seguidamente y en voz alta diremos: «Que estos polvos preparados en ceremonia ayuden a que el aroma y la fragancia endulcen la suerte en mi favor».

El uso de estos polvos no acaba aquí, ya que podemos emplearlos también para que nos ayuden cuando asistamos a un local de apuestas y, para ello, debemos tirarlos, con discreción, bajo la silla en la que nos encontremos. Otra forma interesante de usarlos será espolvoreándolos sobre los billetes de curso legal que emplearemos para comprar las apuestas.

Algunas personas entregan polvos de la suerte a otras con el fin de garantizar su fortuna; no estamos en contra de ello, pero consideramos que el componente personal puede desaparecer de ellos.

Hoguera aromática de la purificación

Ya hemos comentado en otros apartados de este libro que las buenas o malas vibraciones parecen estar a la orden del día. Tanto si hemos padecido un altercado como si hemos participado en una discusión o tenemos cualquier tipo de problema, la energía negativa va con nosotros, tanto a nuestra casa como al trabajo, etc. Si en algún momento creemos que estamos siendo influidos por una mala vibración, lo mejor será remediarla con la ayuda de una buena hoguera.

Siendo conscientes de que no todos los lugares son aptos para hacer fuego, recomendamos encarecidamente al lector que no disponga del espacio adecuado para prender un buen fuego que se abstenga de ello, ya que encontrará otros ceremoniales, prácticas o rituales de similar uso que cumplirán a la perfección el mismo cometido.

A las personas que disponen de un buen espacio para hacer una hoguera, les recomendamos que se decanten por el uso de la barbacoa. En la barbacoa siempre se pueden quemar mucho mejor elementos como los que destacaremos seguidamente, sin peligro de ningún tipo. Pero antes de comenzar con el fuego, debemos tener bien claro qué es lo que deseamos purificar.

No se trata de hacer fuego de una forma gratuita, sino de tener muy claro qué objetivos buscamos o que situaciones deseamos transmutar a partir del uso de las llamas, siempre purificadoras. Por ello, lo mejor es tomar nota mentalmente de lo que deseamos eliminar o purificar de nuestra vida. Tal vez se trata de un miedo, un conflicto de personalidad, un problema con alguna persona o, simplemente, precisamos limpiar la energía del ambiente que nos rodea. Sea cual sea el tema, lo escribiremos de una forma legible y entendible, sin prisa alguna, ya que después, cuando encendamos la hoguera, deberemos leer este texto en voz alta a modo de invocación.

▲ Para la hoguera precisaremos madera natural de bosque, preferentemente recurriremos a las de pino, roble o encina, eso sí, siempre deben ser ramas que encontremos en la tierra ya secas, nunca cortadas de un árbol. Al ir a un entorno natural a recoger los materiales que necesitamos, debemos hacerlo con humildad, sin pretensiones ni prepotencia de ningún tipo, sabiendo únicamente que lo que vamos a tomar pertenece a la Madre Tierra y que ella será la gran artífice que nos ayudará en este cometido.

▲ Al margen de los troncos ya referidos, debemos procurarnos un puñado de hojas de laurel que no estén totalmente secas, otro par de puñados de hojas de roble, un poco de romero y eucalipto. Paralelamente precisaremos incienso granulado de mirra, limón y sándalo.

▲ Reuniremos todos los ingredientes que vamos a utilizar encima del altar y entraremos en concentración. Es primordial que antes de encender cualquier fuego físico de verdad, lo prendamos primero en nuestra cabeza, al menos de forma figurativa; para ello, una vez colocados los materiales sobre la mesa que tiene las funciones de altar, debemos concentrarnos mirando los ingredientes que más tarde arderán. Los miraremos con atención y dejaremos que nuestra memoria vaya reteniéndolos y captándolos. Una vez ya estén incorporados a nuestra mente, encenderemos una hoguera imaginaria en tanto que rememoramos los problemas o circunstancias que nos han llevado hasta el ritual. Debemos permanecer en este ejercicio durante unos minutos. Al principio puede que nos cueste un poco ver con todo detalle los troncos ardiendo en nuestra mente, pero si tenemos paciencia veremos que, poco a poco, las llamas empiezan a prenderse con un cierto orden.

▲ Tras el ejercicio anterior, intentando no perder la relajación, nos desplazaremos hacia el exterior, al lugar en el que podamos encender fuego sin problemas.

▲ Colocaremos los troncos en la base de la barbacoa, de la forma que la intuición nos dicte. Seguidamente situaremos esparcidas por encima de ellos las hojas de los árboles referidos y reservaremos los inciensos para cuando el fuego comience a producir brasas.

▲ Prenderemos la hoguera procurando no usar para ello material químico alguno como pastillas, etc., siendo lo mejor para estos casos el uso del alcohol. Dejaremos que el fuego vaya tomando fuerza y consistencia y cuando veamos que ya no tenemos que estar demasiado atentos a él, procederemos a sentarnos cómodamente mientras lo observamos. Sería interesante que, al tiempo, tuviésemos entre las manos el papel en el que hemos incluido todos los datos sobre lo que deseamos eliminar o purificar con el fuego.

▲ Justo antes de que comience a apagarse el fuego porque ya está prácticamente transformado en brasa, nos levantaremos y, en actitud muy relajada, mirando el centro de la hoguera, en plena consciencia de lo que estamos haciendo, leeremos en voz alta el papel que hemos redactado. Al concluir la lectura, lo doblaremos en cuatro mitades y nos dispondremos a tirarlo al fuego mientras decimos: «Todo esto representa lo que quiero eliminar, purificar, limpiar, suprimir y sanear de mi vida y cotidianidad. Todo esto que ahora quemo aquí y destruyo simbólicamente». Acto seguido, tiraremos el papel y dejaremos que se queme.

▲ Una vez quemado el papel, tomaremos todos los inciensos y los tiraremos en pequeñas dosis en las brasas y restos de fuego. Cada vez que arrojemos una porción de incienso debemos decir: «Limpio, quemo y purifico». Es fundamental que nos embebamos de las fragancias que desprende la hoguera ya que con su combustión están purificando nuestra energía.

▲ Debemos dejar que las brasas se consuman por sí solas. No debemos apagar nunca la hoguera sino esperar hasta el fin de la combustión; en ese momento recogeremos los restos y los llevaremos a un lugar en plena naturaleza donde los enterraremos, dando así por concluido el ritual.

Sahumerio ahuyentador del mal de ojo

A grandes rasgos podemos definir el mal de ojo, conocido también como aojamiento, como aquella vibración que ha sido lanzada con saña y rabia hacia nosotros por cualquier causa, pero, tranquilos, nunca con una simple mirada.

Hacer daño con la mirada es tan antiguo como el ser humano. Son muchas las creencias y tradiciones que afirman que el mal de ojo nació en la noche de los tiempos, justo en el momento en que alguien miró con desdén a un congénere suyo. Lo cierto es que en nuestros días esta temática, que aparece en casi todos los libros de magia, parece volver a estar de moda y, sin embargo, hacer mal de ojo no es tan fácil. No basta con un mal deseo y una mirada, ya que de ser así un aparato de televisión se convertiría en un arma más peligrosa de lo que ya es.

Lanzar un mal de ojo requiere de una estrategia, de un profundo deseo de dolor hacia alguien y de grandes dotes de conocimiento mágico. ¿Para qué, entonces, este ritual? Sencillamente porque el aojamiento en ocasiones de segunda o tercera división sí existe y aunque no reciba el nombre que lo caracteriza, puede convertirse en un hecho real a nivel energético. Si alguien nos quiere mal y piensa mucho en nuestra persona, enviándonos deseos de maldad, casi con total seguridad sufriremos los síntomas claros del mal de ojo sin estar padeciéndolo. En este sentido percibiremos confusión, carencia de motivaciones. De pronto las cosas pueden empezar a perder sentido, las circunstancias de la vida se tornan casi en contra y los obstáculos no paran de crecer. Y si a todo ello le añadimos, por ejemplo, que creemos que nos están haciendo mal, realmente éste estará servido.

Vamos a dejar a un lado todas las supuestas técnicas infalibles para romper el hechizo del mal de ojo, como los sacrificios de animales o los complejos ceremoniales de algunas tribus africanas u oceánicas, y nos centraremos en la forma de atajar las situaciones negativas desde la perspectiva de los aromas, en este caso, de la mano de un sahumerio.

La palabra sahumerio se refiere a una de las técnicas más antiguas de la humanidad para lograr eliminar o erradicar el mal; se trata de emplear el humo como sistema ahuyentador, si bien en este caso no vamos a realizar, como en el ejercicio anterior, una hoguera, sino una ceremonia de humo en torno a nuestra persona.

▲ Para poder llevar a cabo este ritual, debemos proveernos de cinco cuencos metálicos, diez carbones vegetales que servirán para quemar el incienso, e incienso granulado de bergamota que mezclaremos a partes iguales con incienso de mirra también granulado. Paralelamente precisaremos cuatro vaporizadores en los que depositaremos esencias de limón. También serán necesarias cinco velas de color negro encargadas de absorber la negatividad y las dudas que se generen en el ambiente; añadiremos otras cinco velas de color blanco para que protejan y emanen luz sobre el ritual. Todas estas velas deben uncirse con aceite esencial de clavo, perfecto para la protección.

▲ Éste es un ritual que debemos hacer tumbados con los brazos y las piernas separadas, imitando el famoso «hombre total»; por ello debemos disponer el espacio adecuado para colocar perfectamente todos los elementos de trabajo.

▲ Limpiaremos bien la superficie del suelo de la habitación de trabajo y comenzaremos por colocar en coincidencia con los cuatro puntos cardinales los vaporizadores con la esencia mencionada. Tras colocarlos podremos prender la vela que tienen en su interior para que comiencen a invadir la sala con su fragancia.

▲ Partiendo de la base de que después nos tumbaremos, vamos a colocar en las zonas donde después estará la cabeza las manos y los pies, una vela negra y otra blanca que previamente habremos uncido desde la mecha y hasta la base con el aceite esencial de clavo.

▲ Una vez colocadas las velas, procederemos a encenderlas con una cerilla de madera. Al tiempo que las vamos encendiendo debemos decir en voz alta: «Éstas son las velas y la luz que eliminarán lo negativo y purificarán el ambiente atrayendo para sí lo positivo».

▲ Colocaremos junto a las velas los quemadores con los carbones ardiendo para que luego, tras ser incandescentes, podamos aplicar el incienso granulado sobre ellos.

▲ Entraremos en relajación sentándonos en el centro de todo el conjunto, manteniendo en la cabeza la idea y el deseo de purificarnos, de poder eliminar de nuestro cuerpo y nuestra vida todas esas cosas que siendo negativas nos perturban y molestan. Pasados unos diez minutos podremos, sin salir de la relajación, depositar el incienso sobre los carbones, dejando que el humo se expanda por la estancia.

▲ A partir de este momento nos tumbaremos adoptando la posición de hombre total, con los brazos en cruz y las piernas separadas. Cerraremos los ojos y respirando con serenidad nos concentraremos en la protección que nos rodea a través de las velas, los aceites y los aromas de los inciensos.

▲ Transcurridos unos minutos en ese estado protector, invocaremos: «Por la fuerza y el poder de estas velas que iluminan mi estancia. Por la fuerza y energía de los aromas que están ardiendo sobre los carbones. Por la fuerza de los aromas que emergen de estos vaporizadores, pido a la fuerza de la naturaleza que me ayude, que limpie de negatividad todo mi ser». Respiraremos un par de veces con la mayor profundidad que nos sea posible y luego nos relajaremos sintiendo el ambiente que nos rodea.

▲ Tras unos quince minutos más repetiremos en voz alta: «Que estos aromas que ahora han entrado en mí sirvan para purificar mi camino, que me den fuerza y valor y alejen de mí toda maldición».

▲ En el punto anterior, el ritual se dará por terminado; sin embargo, todavía podemos permanecer unos minutos más en estado de relajación antes de abandonar el lugar.

NOTA: Dadas las peculiares características de este ceremonial en el que se utilizarán diferentes aromas, el lector que lo ponga en práctica debe ser precavido y, a fin de evitar problemas de salud por la cantidad de esencias inhaladas, sugerimos que disponga de una ventana abierta por la que pueda ir renovándose el aire de la estancia casi de forma permanente y por donde puedan ir saliendo los humos de inciensos y vaporizadores.

Como recomendación complementaria, sugerimos que tras el ritual se lleve a cabo una purificación basada en una buena ducha.

Polvos protectores de niños y recién nacidos

Éste es un sencillo ritual bastante antiguo que ha ido pasando de generación en generación, teniendo como objetivo alejar del bebé todo mal y evitar que cualquier niño menor de diez años pudiera ser hechizado.

Para proceder con el ritual debemos confeccionar un bolsita de tela blanca o amarilla. En su interior colocaremos un mechón del pelo de la madre del niño y un algodón mojado con la saliva del niño o recién nacido. Después seguiremos de esta forma:

▲ Humedeceremos el algodón que contiene la saliva del niño con aceite esencial de coco y con esencia de lirios.

▲ Ataremos o liaremos el mechón de pelo al algodón y lo envolveremos con otro pedazo de algodón, en este caso seco. Introduciremos todo el conjunto en la bolsita y la dejaremos bajo el influjo de la luna creciente.

▲ Al finalizar la fase lunar mencionada escribiremos en la bolsita el nombre del niño y la palabra *protección*. Después colocaremos la bolsita bajo la almohada del niño o, durante el sueño, bajo la cuna o cama.

Perfume protector para niños

Éste es un remedio parecido al anterior, ya que por sus características puede llevarse a cabo de forma muy fácil y tiene la virtud de proteger a los más pequeños del hogar, por cuya sensibilidad son un buen caldo de cultivo para las energías negativas del hogar o el entorno en el que se mueven.

▲ Para proceder precisaremos tan sólo un vaporizador, aroma de fresas, un poco de vainilla y limón.

▲ Antes de llevar a cabo el ritual, debemos coger todos los ingredientes entre las manos y cargarlos de energía positiva; para ello, el operador debe entrar en relajación y, tras lograrla, visualizar el rostro del niño a proteger.

▲ Cuando el rostro sea perfectamente visible en la mente, al tiempo que lo mantenemos en ella, debemos repetir en voz alta: «Éstos son los elementos con los que protegeré a (nombre del niño) de todo mal y adversidad».

▲ Pasados unos cinco minutos de visualización, podemos proceder a emplear este ambientador perfumado para la estancia en la que duerme el niño; para ello nos dirigiremos a su habitación y depositaremos bajo su cama los frascos con los tres aromas, para que antes de usarlos el niño duerma con ellos por lo menos un par de noches.

▲ Una vez haya pasado el tiempo prescrito, por la mañana encenderemos el vaporizador y le aplicaremos unas gotas de esencia de limón, al tiempo que invocamos: «Que tu frescura le dé a (nombre) energía y vitalidad protectora en este día que ahora se inicia».

▲ A partir de las dos de la tarde, cambiaremos el aroma del vaporizador por el perfume de fresas que, dado su poder aromático, debemos usar con mucha moderación y no más de cinco minutos. Tras encender el vaporizador debemos decir en voz alta: «Que la fragancia del bosque personificada en estas fresas dé a (nombre) una sobremesa plácida y agradable hasta llegar la noche».

▲ Finalmente, al llegar la noche, entre las ocho y las nueve, volveremos a recurrir al vaporizador, en el que, tras limpiarlo, aplicaremos el aroma de vainilla diciendo: «Vainilla protectora, tú que ayudas al sosiego y la paz, dale a (nombre) el descanso que se merece y la tranquilidad que necesita al tiempo que lo proteges de todo mal».

Con las operaciones anteriores habremos realizado un efectivo y completo ritual aromático y de perfume de la estancia en la que duerme el niño, pues aunque no pase todo el día en su habitación, contendrá una fragancia que le protegerá todo el día.

NOTA: Bajo ningún concepto, por muy ritualizadas que estén, debemos aplicar las esencias aromáticas sobre la piel del niño.

Polvos aromáticos para armarios y cajones

Los cajones de los armarios son un lugar en el que nuestras prendas de ropa descansarán hasta un nuevo uso; pues bien, quizá, además del perfume característico de un buen suavizante o el detergente habitual de la colada, podamos complementarlas con un aroma especial y mágico o que, cuando menos, pueda influirlas oloríficamente.

Si bien hoy se ha perdido un poco la costumbre de aromatizar los armarios y cajones con esencias naturales, antiguamente cuando no existían ni los desodorantes, ni los ambientadores como los que se cuelgan de la barra del armario, era tradición buscar aquellas esencias o perfumes naturales de hojas y raíces que, siendo de grato aroma, permitían conservar las prendas de ropa sin olor a humedad, agradablemente aromatizadas y, algo importante, «magnetizadas» o, como se decía en la época, «magiadas».

La pregunta que surge de inmediato es: ¿para qué puede servir «magiar» una prenda? Pues simplemente para que al ponérnosla llevemos con nosotros un poder especial.

Seguidamente detallamos algunas ideas para confeccionar bolsas para armarios y cajones de múltiples aplicaciones, pero a aquellas personas poco duchas en la materia de costura, diremos que, por muy poco dinero, seguro que encontrarán bolsitas de tela fina que permitan la expansión de las fragancias albergadas en el interior.

▲ La mezcla de anís con romero y lavanda será ideal para que nuestra ropa se cargue de energía renovadora, siendo una alianza perfecta para aquellas personas que necesitan aportar componentes nuevos y continuos a sus vidas.

▲ Una bolsa de vainilla con un poco de fragancia de canela nos dará un aroma de seducción y atracción, casi irresistible, perfecto para las personas que desean seducir a los demás.

▲ La combinación de fragancias de cedro con clavel o benjuí potenciará todos los temas que tengan relación con el mundo de lo laboral, estando muy indicada para todas aquellas personas que requieren de fuerza y dinamismo en sus ocupaciones cotidianas.

▲ Las bolsas olorosas en armarios que contengan brezo mezclado con camelias y violetas nos otorgarán un aire espiritual.

▲ Si lo que deseamos es tener una buena fuente de inspiración y claridad mental para interiorizar en nuestra esencia, debemos recurrir a bolsas compuestas por ámbar, anís y un poco de caléndula.

Baño de descarga con esencias aromáticas

En contra de lo que muchas personas creen, un baño de descarga no es tan sólo una forma de dejar fuera de nuestro cuerpo todas las tensiones acumuladas por el cuerpo durante todo el día. Este baño es también una forma de poder mitigar el estrés energético y con él toda la tensión vibracional que una persona lleva a su casa cuando ha tenido un día muy dificultoso.

En este caso no hablamos ni de mal de ojo, ni de problemas de ataques psíquicos; tan sólo pretendemos acercar al lector una serie de formas de mitigar, con la ayuda de las esencias y sales de baño aromáticas, aquellos problemas vibracionales de índole general.

▲ Para combatir la tensión y el estrés, añadiremos al agua del baño un puñadito de sales con fragancia de azucenas o lilas.

▲ Para paliar el dolor emocional provocado por discusiones o conflictos en asuntos laborales, incluiremos en el agua de baño sales de coco con camelias y afrodisia.

▲ Para aquello que tenga relación con lo afectivo de índole romántica, no sexual, debemos recurrir siempre al aroma de fresas diluido con un poco de canela.

▲ Si la preocupación o la tensión es de índole afectiva pero sexual, en este caso las sales deben ser de aroma de pino mezcladas a partes iguales con romero o tomillo.

▲ Para preparar un baño que nos ayude a despejar dudas existenciales o tomar decisiones rápidas, lo mejor será mezclar a partes iguales sales de loto con menta.

▲ Para mitigar el dolor que haya podido provocar una discusión familiar o tensión con padres o hijos, procuraremos sales de baño de tomillo, borraja o caléndula.

▲ Por supuesto a todos estos baños debemos añadirles el componente mental y emocional, dicho de otra forma, al margen de llenar la bañera de agua y esparcir en ella las sales, también tenemos que poner un poco de nuestra parte, al menos desde el prisma de la visualización.

▲ Si deseamos que el baño con las sales aromáticas sea verdaderamente efectivo, mientras vamos llenando la bañera procuraremos relajarnos pensando en aquello de lo que nos queremos deshacer. Después al sumergirnos en el agua, lo haremos poco a poco, sintiendo el líquido rozando nuestro cuerpo, meciéndolo y hasta penetrando en él.

▲ Una vez estamos en el agua, lo ideal será comenzar a prestar atención a nuestro cuerpo, desde los pies hasta la cabeza, para ello efectuaremos un repaso mental por pies y piernas, luego cadera, vientre, espalda, pulmones, cuello y cabeza. Al final cuando tengamos conciencia de todas las partes de la cabeza (ojos, nariz, boca, cara), procederemos a relajar los brazos tomando conciencia de ellos.

▲ Cuando ya estamos totalmente relajados es el momento de cerrar los ojos y centrar la atención en el olfato, percibiendo y sintiendo la fragancia que está en el agua con nosotros al tiempo que llevamos a nuestra mente lo que deseamos solucionar. El resto es cuestión de las fragancias y de que la imaginación vuele libremente.

Ceremonia del perfume para proyectar la conciencia

La conciencia es la parte de nosotros mismos que teóricamente más conocemos; no obstante, ello no implica que sea una de las que más usemos. Cuando hablamos de proyectar la conciencia, nos referimos a salir fuera de los puros dogmas, motivos y razones que nos atribuimos como verdaderos y propios para un gran número de cuestiones. En definitiva, se trata de romper aquellos temas a los que estamos apegados y condicionados para tener una nueva visión de los mismos.

Cuando una persona sensitiva, sea chamán, druida o mago, sale fuera de sí, expandiendo su conciencia, lo hace para tener la visión de la divinidad o, lo que es lo mismo, una forma de apreciar lo que le preocupa desde diferentes ángulos fuera del condicionamiento. Este hecho que, a priori, puede parecernos poco usual, lo ponemos en práctica cada vez que le indicamos a una persona de nuestra confianza que nos dé un consejo. De la misma forma, proyectamos la conciencia siempre que intentamos llevar adelante una meditación proyectiva o un viaje astral.

La utilidad de esta técnica es muy simple; debemos poder ver el cuadro desde fuera, aunque seamos un personaje que aparece en él; lo que ocurre es que desde el interior del cuadro poseemos una perspectiva de la realidad y como meros observadores, otra.

El ejercicio que desarrollaremos seguidamente será ideal para las personas que necesitan ver el otro lado de las cosas, que precisan una respuesta a sus dudas o un consejo desde el interior de su mente. Para ello, efectuaremos una sesión de meditación con la compañía del perfume de loto.

Vamos a recurrir a una vela de color azul claro, que presidirá toda la práctica y que unciremos con aceite esencial de loto. De la misma forma necesitaremos el mencionado aroma en versión de incienso o esencia para vaporizar. Cuando tengamos todos los materiales, sólo precisaremos encender la vela ya uncida, poner en la misma habitación de trabajo el incienso o vaporizador en combustión y sentarnos a meditar de la siguiente forma:

▲ En pie, mirando la llama de la vela que está en el suelo, y manteniendo las piernas y los brazos pegados al cuerpo, respiraremos con total normalidad para ir relajándonos al tiempo que intentamos fijar en la memoria la llama de la vela.

▲ Pasados cinco minutos, nos sentaremos con las piernas cruzadas y las manos apoyadas en las rodillas. Sin dejar de mirar la vela y sintiendo el aroma que nos rodea, diremos en voz alta: «Percibo el aire, pero no soy el aire». Seguidamente inspiraremos con fuerza llenándonos de aire. Efectuaremos esta secuencia unas diez veces.

▲ Manteniendo la mirada fija en la llama de la vela diremos: «Estoy aquí, pero no soy sólo quien está. Siento, pero no soy el sentido. Vivo, pero no soy sólo el vivido. Veo la vela, pero no soy la vela».

▲ Cerraremos los ojos intentando mantener la llama de la vela en la memoria dejando que crezca en el interior de la mente, al tiempo que decimos: «Tengo cuerpo, no soy mi cuerpo. Tengo límites, pero no estoy en ellos». Tras una nueva profundización en la respiración, sintiendo el aroma de la estancia, diremos: «Ahora me expandiré hacia fuera de mis fronteras naturales».

▲ En este momento es cuando debemos hacer un esfuerzo por sentirnos libres, sueltos, fuera de nuestro cuerpo, percibiendo la expansión de la conciencia más allá de las fronteras de la piel y, para ayudarnos a ello, nada mejor que la imagen de la vela creciendo en nuestro interior. Debemos visualizar la expansión con naturalidad, sin cuestionarnos nada.

▲ Cuando notemos que realmente estamos fuera de nosotros, será el momento en que la conciencia se expandirá, instante en que debemos llevar a la mente lógica el problema que nos preocupa para intentar hallar la solución.

▲ Al acabar la sesión de toma de conciencia y proyección de la misma, debemos ir volviendo poco a poco a nuestro ser; para ello, sin abrir los ojos, repasaremos mentalmente el cuerpo, desde los pies a la cabeza. Seguidamente rememoraremos la imagen de la vela en la mente, como si la estuviéramos viendo, ya que la vela es la conexión con la realidad. Finalmente, pero sin movernos, podemos mirar la llama de la vela tomando conciencia de que estamos aquí y ahora, que hemos vuelto.

▲ Para concluir, nos levantaremos poco a poco, apagaremos la vela de un soplo, y lo más recomendable será que tomemos buena nota de cuanto hayamos podido percibir, ya sean sensaciones, imágenes o ideas que hayan venido a la cabeza durante el ejercicio.

No deja de ser recomendable que, además de tomar nota, en estado de conciencia normal y cotidiano, recordemos lo visualizado para ver si desde la lógica que nos acompaña siempre tenemos la misma impresión acerca de lo consultado. Esto nos servirá para establecer una valoración adecuada sobre el ejercicio que, por otra parte, no recomendamos repetir más de dos veces por semana y nunca antes de ir a dormir, ya que podríamos confundir los resultados.

Ritual aromático de los pies negros para la tranquilidad

La magia aromática no es una tradición exclusiva de las latitudes europeas, por supuesto que no. Sólo hace falta dar un ligero repaso al mapamundi para darnos cuenta de que desde la India hasta África, pasando por los países árabes y llegando hasta el continente americano, todos los pueblos han recurrido al aroma.

En la actualidad practicamos muchos rituales o tradiciones que provienen de culturas lejanas; de hecho, la ceremonia que destacaremos a continuación, y que es originaria de la tribu amerindia de los pies negros, se puede encontrar en más de un curso de crecimiento personal o emocional, dentro de cualquier país europeo o incluso sudamericano.

Hoy sabemos que dentro de las culturas denominadas pieles rojas existió un profundo respeto por la naturaleza y lo desconocido, y el aroma no fue menos. Cuando el chamán precisaba centrar su atención para así canalizar su energía, posiblemente llamada entonces «espíritu», efectuaba una serie de ceremonias de tranquilización de su cuerpo y mente.

Por desgracia, muchos de los antiguos ceremoniales se han perdido y hoy sólo permanecen algunos resquicios de ellos; tanto es así que no sabemos exactamente qué ingredientes se usaban con exactitud. No obstante, recuperamos y actualizamos una antigua práctica que tomaba como base el hamamelis.

El ritual que nos ocupa puede efectuarse siempre que precisemos tranquilidad del tipo que sea. Puede que estemos pasando por una temporada de angustia, quizá el estrés nos ha cargado más de la cuenta o, tal vez, las muchas emociones vividas dificultan la paz y el sosiego que precisamos. Sea como fuere, vamos a dar los pasos para equilibrar las energías gastadas y recuperar la armonía tranquilizadora.

▲ En una olla en la que pondremos agua a hervir, cuando alcance la ebullición depositaremos el hamamelis que habremos adquirido en la herboristería, y lo dejaremos a fuego lento por espacio de unos diez minutos y con la olla tapada.

▲ Tras apagar el fuego, cubriremos la boca de la olla con un paño de forma que el vapor no se escape, y nos dirigiremos a la estancia de trabajo. Colocaremos la olla en el suelo y nos tumbaremos cerca de ella.

▲ Al tumbarnos debemos relajarnos y permitir que el cuerpo se distensione. Para conseguirlo debemos respirar profundamente, al menos entre cinco y diez veces, sintiendo que el aire entra por la nariz y llega hasta lo más profundo del estómago. Luego para soltar el aire no debemos hacer fuerza alguna, simplemente «deshincharnos» poco a poco.

▲ Evitaremos que los pensamientos de las preocupaciones vengan a la mente, sólo debemos preocuparnos de sentir paz y armonía.

▲ Cuando llevemos unos cinco minutos de relajación, adoptaremos la postura de protección de los pies negros; para ello debemos colocarnos de rodillas, apoyando las nalgas sobre el talón del pie, que tensaremos ligeramente. Por lo que se refiere a los brazos, los cruzaremos frente al pecho, al tiempo que cerramos el puño, cubriendo el dedo pulgar con los otros.

▲ Desde la posición de protección inhalaremos el aire que nos rodea y que ya estará impregnado del aroma de hamamelis. Tenemos que percibir la fragancia y pensar que nos ayuda a obtener la paz y armonía que necesitamos.

Por lo general, estas prácticas concluyen tras unos diez minutos de relajación profunda, pero dado lo complejo de la postura, cuando todavía no se posee la práctica necesaria, aconsejamos que el lector comience por practicar sesiones más cortas de unos cinco minutos. Otra opción será acostumbrar al cuerpo a la postura antes de llevarla a cabo con fines rituales.

Insistiremos una vez más en la falta de necesidad de pensar en un tipo de temática concreta, bastando con que nos dejemos fluir y nos evadamos con el aroma que estamos usando para obtener la paz y el sosiego. Algunas personas invocan una imagen que tenga relación con un problema y después resulta que no se la pueden sacar de la cabeza, y en lugar de relajarse acaban por tensionarse más; por ello, mejor dejar que la mente funcione por sí sola, libremente.

Antigua ceremonia africana para apaciguar el destino

Según podemos leer en algunas crónicas de los aventureros y exploradores del continente africano, en muchos países, además de tentar la suerte con todo tipo de talismanes o amuletos, también procuraban desvelar lo que les deparaba el destino mediante el uso de diversos signos y utensilios cotidianos. Otra de las singularidades de muchos países del África negra consistía en intentar cambiar el destino pronosticado por un chamán o brujo, cuando su visión era negativa.

La antigua ceremonia africana para poder apaciguar el destino sería compleja de llevar a cabo en una cultura como la nuestra ya que no disponemos ni de los animales para sacrificar, ni del ambiente preciso para ello, y algo más importante, tampoco tenemos la mentalidad necesaria. Por todo ello, de las muchas recetas africanas para llevar a cabo cuando el destino parece ir en contra de nosotros, destacaremos una que bien puede realizarse con un poco de paciencia y que nos ayudará a mejorar nuestra vida o, cuando menos, a minimizar los problemas y adversidades.

▲ Comenzaremos por preparar una mezcla de aceites esenciales de ruda, menta, rosas y limón. Todo ello lo depositaremos en un tarrito al que podemos añadir un poco de miel pura. Cerraremos el tarrito y lo sumergiremos en agua caliente por espacio de unos diez minutos.

▲ Transcurrido el tiempo anterior, sacaremos el tarro del agua y tras dejarlo enfriar, lo sostendremos entre las manos al tiempo que pensamos en la necesidad de obtener ayuda.

▲ En un recipiente metálico depositaremos una vela marrón, otra roja, otra amarilla y una azul, ya que de esta forma tendremos representados los cuatro elementos. Pondremos el recipiente sobre un fuego muy lento para que las cuatro velas se fundan y una vez convertidas en líquido unifiquen sus tonalidades.

▲ Una vez estén líquidas las velas, nos concentraremos en pensar que allí se encuentran los cuatro elementos de la vida: la tierra en la vela marrón que marcará nuestros principios más materiales y asentados; el color amarillo indicará la presencia del elemento aire y, con él, las ideas y la imaginación, también las decisiones; por su parte, el color rojo será el fuego, la energía y vitalidad, pero también el rencor que empleamos en la cotidianidad; finalmente reflexionaremos sobre el color azul del agua, las emociones y la sensibilidad, la capacidad de mutabilidad que todos poseemos.

▲ Tras las reflexiones anteriores tomaremos entre las manos el tarro que contiene los aceites esenciales e invocaremos: «Aquí están representados los elementos de la naturaleza, del destino, y en este tarro que ahora sostengo las ayudas que recibiré para que el mío sea un destino más positivo y armónico». Una vez pronunciadas estas palabras, abriremos el tarro y depositaremos su contenido sobre la cera derretida.

▲ Si apreciamos que la cera se ha endurecido, volveremos a encender el fuego para poder mezclar bien todos los elementos. Seguidamente, en el mismo recipiente que contenía las esencias o, en su defecto, en otro más grande, verteremos el contenido de la cera mezclada con los aceites esenciales, dando por concluido el ritual y teniendo ya un receptáculo talismánico que nos protege.

▲ Otra modalidad de esta práctica consiste en enterrar el bote que contiene el destino protegido de una persona en un bosque o lugar preferido para que esté más amparado y en armonía con la naturaleza. Dejamos al criterio del lector esta opción.

Ritual bereber para el embellecimiento de la piel

Éste es un curioso ritual de cuya eficacia no dudamos pero sobre el que guardamos ciertas reservas, ya que no todas las plantas poseen unas propiedades dermatológicas tan notorias. Como veremos, para proceder con el ceremonial lo tenemos muy fácil, puesto que sólo precisaremos efectuar una infusión.

▲ En una tienda especializada debemos adquirir menta y anís. Para preparar la infusión, la proporción adecuada será de tres puñados de menta por cada uno de anís. Mezclaremos ambas plantas y procederemos a sumergirlas en agua hirviendo para obtener así la infusión.

▲ Cuando ya tengamos la infusión, la colaremos y le añadiremos cuatro cucharadas de azúcar que diluiremos con la ayuda de una cuchara. A partir de ahora, el proceso consistirá en relajarnos e ingerir esta infusión con el convencimiento de que va a ayudar al embellecimiento de la piel.

▲ Por lo que se refiere a las hojas de menta y restos de anís que hemos colado, debemos aplicarlos a la piel del rostro por espacio de unos quince minutos, mientras decimos: «La belleza está en mí, dentro y fuera, en todas partes, pero en mí».

Inhalaciones siberianas para la sabiduría

En la actualidad Siberia es un lejano territorio, frío y distante, en el que difícilmente una persona pasaría unas vacaciones. La región siberiana, dejada de la mano por los diferentes gobiernos de la extinta URSS y la actual Rusia, ha sido una «zona muerta» en la que exiliar o recluir a través de las prisiones a los disidentes y criminales soviéticos y en la que experimentar todo tipo de productos y armas tecnológicas. Sin embargo, hubo un tiempo, hace ya algunos miles de años, en que desde estas latitudes partieron para otros lugares personajes místicos, iniciáticos y mágicos.

De los antiguos pueblos siberianos se ha dicho prácticamente de todo: desde que fueron los herederos del conocimiento que portaban la primigenia cultura hindú o tibetana, hasta que sirvieron de lugar de refugio para los últimos supervivientes de la Atlántida. Lo cierto es que desde Siberia partieron migraciones de pueblos que poseían una cultura oculta, mágica y esotérica muy importante. Las tribus que se expandieron hacia el este a través de lo que hoy conocemos como estrecho de Bering llegaron al continente americano, lo poblaron y extendieron lo que actualmente denominamos chamanismo en sus varias clases. Por su parte, las migraciones hacia el oeste, penetrando por el norte de Europa y dirigiéndose cada vez más en dirección al océano Atlántico, dieron origen a las tradiciones del druidismo.

Como vemos, Siberia es, pues, cuna de tradiciones tan importantes como la chamánica o la druídica con todo el componente místico que ello supone.

De los diferentes cultos antiguos de Siberia, hoy no quedan más que algunos resquicios de magia, adoraciones a las estaciones, rituales de armonización con la naturaleza y ceremonias de culto a los muertos; el chamanismo, en su fase más primigenia, sigue existiendo y, dentro de él, se practican algunas ceremonias que resultan verdaderamente interesantes. De todas ellas resaltaremos un ritual de inhalación de aromas, cuyo objetivo es alcanzar la sabiduría. No se trata de despertar el denominado coeficiente de inteligencia, sino de potenciar la conciencia de las cosas, para darnos cuenta de lo que pasa a nuestro alrededor, con independencia de lo inteligentes que seamos.

El ritual de sabiduría nos permite abrir la mente, desarrollar el chakra de la intuición de la visión de futuro y la comprensión descondicionada de los acontecimientos.

Para proceder a estas inhalaciones, precisaremos de una gran paciencia, dominio de nuestro cuerpo y de la voluntad. Por una parte, debemos llevar a cabo una postura ciertamente incómoda, al menos al principio, y después tendremos que canalizar nuestra energía para que pueda absorber el aroma de ciprés y pino, árboles que podemos encontrar en la taiga.

▲ En un aromatizador mezclaremos a partes iguales esencia aromática de pino y ciprés. Ahora bien, si queremos encaminar el despertar de la sabiduría hacia temas laborales o económicos, debemos usar dos partes de pino y una de ciprés. Por el contrario, si lo que pretendemos es aumentar la capacidad de comprensión de las relaciones humanas, emplearemos dos de ciprés y una de pino.

▲ Un día antes de proceder a la sesión de inhalación, encenderemos el vaporizador en la habitación de trabajo y lo dejaremos allí durante toda la jornada, renovando su contenido cada dos horas para que impregne la estancia totalmente.

▲ Al día siguiente y sin ventilar la habitación, ni encender esencia alguna, penetraremos en el lugar, vestidos con una ropa cómoda y elástica, y con la intención de obtener más sabiduría, ya sea material o humana.

▲ Comenzaremos por unas sesiones de estiramiento de brazos, piernas y cuerpo en general. Lo más fácil para ello será efectuar la postura típica del bostezo, como cuando nos levantamos por la mañana y estiramos todos los miembros, ya que esta acción descongestionará el organismo.

▲ Seguidamente nos agacharemos varias veces para acostumbrar a piernas y rodillas. Nos sentaremos con las piernas cruzadas, el cuerpo ligeramente inclinado hacia delante, los codos apoyados a la altura de las rodillas y las manos apoyadas en los parietales de la cabeza. Por otra parte, debemos tapar nuestros oídos con el pulgar, para quedarnos aislados del exterior, siendo el único vínculo con el mismo la parte olfativa.

▲ Iremos forzando poco a poco la posición, inclinándonos hacia delante cada vez más, como si todo nuestro cuerpo fuera una gran pieza unida por las extremidades referidas. Debemos entrar en relajación y sentir que a medida que pasan los minutos el cuerpo se va endureciendo cada vez más, sin dolor, pero fortaleciéndose como si fuera un solo bloque cerrado sobre sí mismo.

▲ A partir de este momento nos centraremos únicamente en la respiración, que será profunda; para ello debemos inhalar con fuerza el aire que nos rodea, percibiendo claramente el aroma que está en él, al tiempo que liberamos nuestra mente.

▲ Mientras efectuamos las inhalaciones debemos pensar en nuestra fuerza interior y sentir la seguridad del momento. Diremos frases como: «Me siento bien, con fortaleza y protección, en este mundo interior deseando adquirir mayor sabiduría y visión sobre las vivencias de (indicar si son materiales o humanas) para aprender de ellas y fortalecer mi alma».

▲ Tras unos minutos de reflexión sobre las afirmaciones anteriores, procederemos a imaginar que el aire inhalado entra en nosotros como si fuera un fino hilo de luz que se encamina desde nuestra nariz, pasando por el interior de la cabeza, hacia la zona del entrecejo. El aire debe llegar al punto central de la frente, donde se halla ubicado, según todas las tradiciones, el chakra de la intuición, que se expande y contrae con la respiración.

▲ Podemos dar por concluido el ejercicio en el momento en que notamos la palpitación del chakra; de ser así, dejaremos pasar unos cinco minutos y saldremos del ejercicio.

▲ En el momento en que llegamos al punto en que es posible percibir el chakra de la pineal, es cuando verdaderamente estamos potenciando la capacidad de sabiduría como hacían los antiguos siberianos. Claro que ellos, además, en ocasiones se daban unos golpecitos rituales en la frente para despertar dicha zona. Sin llegar a los golpes, debemos aprovechar la percepción de la energía en esta zona para desarrollar al máximo la otra inteligencia denominada sabiduría.

Si efectuamos este ejercicio con cierta regularidad, nos daremos cuenta de que con el tiempo podemos llegar a suprimir todo el ejercicio previo de la postura y que sólo con centrarnos en el lugar que nos ocupa tendremos la capacidad de percibir, que será ideal para tener otras visiones de un mismo problema, pudiéndolo afrontar desde perspectivas diferentes.

Concluimos aquí los ejercicios de este libro sobre la magia de los aromas. Como habrá podido comprobar el lector, son muchos los temas y las técnicas, pero como ya hemos dicho en otro apartado, el camino ahora es solamente suyo. Felices aromas.

Índice